Communication et épanouissement personnel

Couverture
- Maquette et illustration:
  GAÉTAN FORCILLO

DISTRIBUTEURS EXCLUSIFS:

- Pour le Canada:
  AGENCE DE DISTRIBUTION POPULAIRE INC.*
  955, rue Amherst, Montréal H2L 3K4 (tél.: 514-523-1182)
  *Filiale de Sogides Ltée

- Pour la France et l'Afrique:
  INTER-FORUM
  13, rue de la Glacière, 75013 Paris (tél.: 570-1180)

- Pour la Belgique et autres pays:
  S. A. VANDER
  Avenue des Volontaires, 321, 1150 Bruxelles (tél.: (32-2) 762.98.04)

Copyright, Ottawa, 1972

Bibliothèque nationale du Québec
Dépôt légal — 1er trimestre 1985

ISBN 2-7619-0511-3

« Libère-moi de cette peur de découvrir avec toi l'être que je suis vraiment au fond de moi-même, donne-moi le goût d'être libre . . . »

Extrait d'une lettre.

Introduction

C'est devenu un cliché de répéter que notre siècle est celui de la communication. Si, de tout temps, semble-t-il, l'homme a su parler à l'homme, ce n'est que tout récemment qu'il a appris à utiliser la machine pour projeter à distance ses contenus mentaux. Si l'écriture remonte à quelques dizaines de siècles, l'imprimerie n'a été inventée qu'au 15ème siècle. Quant à la transmission des messages oraux, avant Marconi (1875-1937) et Bell (1847-1922), son rayon pour un homme vigoureux ne dépassait guère quelques centaines de pieds.

Les choses ont changé; en 1972, l'homme parle de plus en plus à l'homme, amplifiant ses organes sensoriels par l'utilisation d'appareils de toute sorte. Les développements techniques se sont multipliés et il serait fastidieux de les énumérer; il est même devenu difficile d'échapper pour quelque temps au bombardement de la communication et le silence se raréfie.

Les progrès ne se sont pas seulement réalisés dans le domaine technique. Parallèlement à l'invention du transistor, de la télévision ou de l'ordinateur, les chercheurs ont réussi d'intéressants progrès dans la compréhension de la psychologie de la communication. Qu'on ne prenne comme exemple que les découvertes effectuées en psychologie appliquée dans le domaine de la publicité. L'homme sait de plus en plus comment parler à l'homme pour influencer la manière dont il dépense ses revenus. L'homme sait de plus en plus comment parler à l'homme pour gagner son vote électoral, stimuler l'expression de ses instincts de base ou orienter ses comportements vers des objectifs prédéterminés.

Si le langage sous toutes ses formes peut être utilisé pour restreindre la liberté de l'homme et, à la limite, le conduire à l'auto-destruction, il peut aussi être mis à l'œuvre pour favoriser l'épanouissement de la personne humaine et lui faciliter l'atteinte du développement le plus complet auquel elle puisse aspirer. Autant, dans l'histoire humaine, il existe une longue tradition d'une utilisation destructrice de la communication, en commençant par la première insulte et le premier mensonge, autant il existe une longue histoire d'un usage constructif de la parole, à partir du premier mot d'amour vrai, du premier geste de paix et d'amitié.

Il existe depuis fort longtemps parmi les humains des êtres qui consciemment se sont proposé d'en **aider** d'autres, primordialement par la qualité de leur communication. Socrate déambulant avec ses élèves sous les portiques de l'antique Athènes représente un exemple très clair de cette disposition.

Dans notre société, surtout depuis les travaux de Sigmund Freud (1856-1939), se sont développés toute une science et tout un art de l'aide par la communication. Les recherches et les découvertes scientifiques sur l'art d'aider les autres en leur parlant se sont multipliées de façon marquée, surtout au cours des cinquante dernières années. Un certain nombre de personnes pratiquent cet art de façon officielle: psychiatres, psychanalystes, psychologues, « conseillers » de tous genres. Leur nombre, quoique imposant en chiffres absolus, apparaît infime par rapport à l'immense armée des « conseillers » non officiels. Tout être humain qui entre en contact de façon significative avec un autre possède le redoutable pouvoir de produire une amélioration ou une détérioration chez cet autre. Qu'on pense à l'influence prépondérante des parents, des camarades et amis, des enseignants.

Les pages qui suivent s'adressent finalement à tout être humain qui entre en contact avec d'autres êtres humains. Cependant, de façon plus immédiate, elles sont destinées à celles et ceux qui exercent dans notre société des **fonctions** qui les amènent à être perçus plus clairement comme des **aidants,** c'est-à-dire des personnes dont le contact soit bénéfique à ceux avec lesquels elles entrent en communication.

Médecins, infirmières, prêtres et membres de communautés religieuses, conseillers sociaux, enseignants, moniteurs, aides familiales, conseillers légaux, aviseurs moraux, parents, la liste est interminable de ceux qui consacrent une part parfois importante de leurs énergies à communiquer de façon aidante avec d'autres êtres humains.

Ce livre se présente comme une introduction; c'est dire qu'il ne sera pas possible de pousser jusqu'au bout l'étude et l'analyse des phénomènes de la communication aidante. On évitera le plus possible l'emploi d'un vocabulaire inutilement technique, souvent plus destiné à impressionner le lecteur qu'à transmettre efficacement une pensée.

Dans une première étape, nous tenterons de décrire l'ensemble de la relation d'aide et de la distinguer d'autres types de communication. Nous ferons ensuite une brève exploration d'un certain nombre de données concernant le développement de la personnalité. Nous nous pencherons en troisième lieu sur le déroulement de la relation d'aide et sur les attitudes de l'aidant appropriées pour chacune de ces phases. Suivra l'examen d'un certain nombre de problèmes spéciaux susceptibles de surgir au cours de la relation. Dans le chapitre suivant, nous formulerons quelques réflexions sur les modalités que peut revêtir la relation d'aide selon les divers contextes dans lesquels elle est pratiquée. Enfin, nous présenterons un long document destiné à permettre au lecteur de saisir comment la relation d'aide peut être vécue du point de vue du consultant. Le dernier chapitre constituera notre conclusion. On trouvera en appendice un certain nombre de renseignements pratiques et des indications bibliographiques.

Un ouvrage sur la communication n'est évidemment pas écrit dans l'isolement. Je veux remercier ici tous ceux et celles qui ont été et continuent d'être pour moi des **aidants,** et en tête desquels se placent mon père et ma mère. Ma gratitude va aussi à celles et ceux qui m'ont accordé le privilège de les aider et chez qui j'ai pu, à l'intérieur de mes limites, favoriser l'épanouissement de la liberté.

CHAPITRE 1

Qu'est-ce qu'une relation d'aide?

A la différence des autres animaux qui peuplent la planète, ce n'est que fort graduellement que le petit d'homme acquiert les comportements essentiels à sa survie et à son développement. Alors que le petit veau suit déjà sa mère sur des pattes flageolantes quelques heures après sa naissance et que le lionceau est en mesure de se débrouiller dans son milieu quelque temps après sa venue au monde, le bébé humain va prendre de longs mois pour apprendre à marcher, et vivra de longues années avant de pouvoir subvenir lui-même à ses besoins vitaux. Sans doute, après ce retard initial, le petit d'homme dépassera-t-il tous les autres animaux par le développement de son intelligence; il n'en reste pas moins que la conquête de son être lui prendra beaucoup de temps.

Si l'on définit la liberté comme la capacité d'un être de vivre et d'actualiser pleinement toutes ses ressources intimes, on pourra conclure que l'épanouissement de cette liberté chez l'homme se fait de façon très graduelle, à travers un cheminement lent, jalonné d'influences positives et négatives. L'homme ne naît pas libre: il suffit d'observer la dépendance totale du nourrisson pour s'en convaincre.

Le bébé humain porte en lui le germe d'une liberté qui prendra des années à s'épanouir mais ce germe est soumis, avant même sa naissance, au jeu des influences diverses provenant de son milieu. Dès la fécondation de l'ovule dans le corps de la mère, se trouve fixé l'héritage génétique du nouvel être, héritage qui peut être un facteur libérateur et épanouissant tout aussi bien que limitatif ou destructeur. Pendant la gestation, on sait les effets positifs ou négatifs que peuvent entraîner chez le bébé l'alimentation appropriée de la mère ou, à l'inverse, son abus, par exemple, de l'alcool ou des hallucinogènes.

Si le poids des facteurs somatiques est énorme, il ne faut pas pour autant minimiser l'importance des influences psychologiques qui s'exercent sur le nourrisson dès sa naissance. C'est dans la **relation** avec d'autres êtres humains que se développe, plus ou moins harmonieusement, la liberté de l'homme.

Nous nouons tous, au cours de notre existence, d'innombrables relations avec les autres. Toutes ces relations n'ont évidemment ni la même importance ni la même valence psychologique. La relation que nous nouons avec nos parents, et surtout avec la mère, possède une importance beaucoup plus considérable que le contact épisodique avec un étranger rencontré dans un avion. Quant à la valence, elle n'est évidemment pas la même dans le cas de la relation entre un amant et son amante que dans le cas de la relation entre un chômeur et le patron qui l'a congédié injustement. Certaines relations sont constructives et favorisent l'épanouissement du germe de liberté; d'autres sont destructrices et limitatives.

Quoique certaines relations, comme la relation parentale, jouent un rôle prépondérant dans l'épanouissement ou la limitation de la liberté, il semble que ce soit surtout l'enchaînement successif de relations de type semblable qui influence le plus profondément le développement de l'être humain. Qu'on pense par exemple à ce que devient la liberté d'un être exposé successivement à la relation avec des parents égocentriques, suivie de la relation avec des enseignants peu compréhensifs, suivie de la relation avec un conjoint écrasant, le tout vécu dans un contexte de discrimination raciale ou sociale. L'enchaînement peut évidemment se vivre de façon inverse.

De tels enchaînements de relations positives ou négatives à l'état pur sont relativement exceptionnels. Les influences que nous recevons des autres sont habituellement polyvalentes, une même relation pouvant d'ailleurs être affectée de valences différentes, simultanément ou successivement.

La **relation d'aide** se présente comme une relation dont l'objectif primordial soit de favoriser chez l'un des participants l'épanouissement plus complet de la liberté. **L'aide** qu'elle prétend apporter est précisément constituée par cet accroissement de la liberté, c'est-à-dire par la croissance et l'épanouissement des puissances internes de la personne.

On peut donc la définir comme **une manière de procéder dans le cadre d'une relation interpersonnelle, manière de procéder qui cherche à libérer la capacité de la personne aidée de vivre plus pleinement qu'elle ne le faisait au moment du contact.**

Cette description appelle quelques commentaires. D'abord, au niveau du vocabulaire, convenons d'appeler les deux partenaires de la relation **aidant** et **aidé** respectivement. Ces termes semblent préférables, par leur extension, à ceux de conseiller et de thérapeute d'une part, et à ceux de consultant, client ou patient d'autre part. Cet emploi se trouve d'ailleurs en accord avec la terminologie la plus récente dans le domaine de la relation d'aide (Carkhuff, 1969, 1971).

Quant à la manière de procéder, disons tout de suite qu'elle sera idéalement l'expression, dans le comportement, d'**attitudes** profondément acquises et intégrées par l'aidant. Il semble important de distinguer ici **attitudes** et **techniques**. Une attitude peut se définir comme une prédisposition à penser, sentir, percevoir et agir d'une certaine manière par rapport à un être quelconque (Kerlinger, 1964, p. 483). Elle implique stabilité, permanence relative et résistance au changement. Les techniques, d'autre part, désignent plus directement des comportements externes, enracinés ou non dans des attitudes. Il est possible d'apprendre à utiliser un grand nombre de techniques, dans quelque domaine que ce soit, sans que, pour autant, les attitudes internes en soient modifiées.

La fragilité et la non-permanence des techniques ne surgissant pas des attitudes internes a été démontrée à de nombreuses reprises (Saint-Arnaud, 1969, 121-123). On peut certes apprendre, par l'exercice gradué et intensif, à produire des reformulations adéquates, à ne pas interrompre son interlocuteur et à refléter surtout ses sentiments, mais l'expérience démontre que ces comportements, s'ils ne sont pas l'expression externe d'attitudes internes, ne résistent guère à la pratique prolongée de la relation aidante. Le dicton: « Chassez le naturel, il revient au galop », s'applique ici exactement. C'est dire que l'élément essentiellement aidant de la relation sera bien plus la personnalité de l'aidant que les techniques qu'il a pu acquérir, ou plutôt, que pour être vraiment libérateurs, les comportements externes de l'aidant devront traduire et exprimer les traits d'une personne elle-même libérée.

Un second commentaire concerne la centration de la relation sur la **personne** de l'aidé, plus que sur ce qu'il est convenu de nommer ses « problèmes ». Une relation d'aide est essentiellement concrète, vécue dans le « maintenant et ici ». On peut réfléchir, écrire traités ou articles, prononcer des conférences sur des « problèmes », mais l'aidant ne rencontre jamais que des personnes. Il n'entrera jamais en contact avec la maladie, le chômage, l'angoisse ou la phobie, mais avec Jeannine-qui-est-malade, Arthur-qui-est-sans-travail, Cécile-qui-n'en-dort-plus ou Paul-qui-étouffe-dans-le-métro. Une relation d'aide est la rencontre de deux personnes, dans toute la subjectivité de leur champ perceptuel. En ce sens, la peur, la joie, l'anxiété, la créativité n'existent pas, si ce n'est dans les pages des livres; il n'existe pour l'aidant que des **personnes** qui, d'une infinité de manières, **sont** heureuses, joyeuses, anxieuses ou créatrices.

3. Un troisième commentaire se rapporte à l'optique plutôt positive et libératrice que **corrective,** de la relation d'aide telle que présentée ici.

Nous reviendrons plus en détail au chapitre 2 sur la conception de l'être humain qui sous-tend cette optique. Qu'il suffise pour l'instant de dire que, sans nier la légitimité d'une approche corrective, la relation d'aide sera présentée davantage en termes d'épanouissement et de croissance qu'en termes de redressement ou de correction.

Il est des questions à propos de la relation d'aide qu'on ne pose presque jamais et qui pourtant sont d'une importance fondamentale. Ainsi, de quel droit un aidant peut-il proposer son aide à un autre être humain? Est-ce parce qu'il est mieux informé que lui, que sa formation académique est plus complète, qu'il est plus âgé que lui, ou encore parce que le mur de son bureau est orné de diplômes qui attestent officiellement de son statut d'aidant professionnel? Un moment de réflexion mènera à conclure qu'aucune de ces raisons ne constitue un droit à aider. Ce droit ne saurait reposer, en dernière analyse, que sur la capacité de l'aidant de **vivre** d'une manière plus efficace que l'aidé, du moins dans les secteurs où l'aidé rencontre les problèmes qui l'amènent à solliciter de l'aide.

Croissance personnelle de l'aidant.

Seul l'aidé qui est lui-même en voie de conquérir sa liberté totale, qui est engagé dans un processus constant d'épanouissement et d'actualisation de son potentiel humain pourra aider efficacement d'autres personnes à s'engager elles-mêmes dans cette évolution. Pour un tel aidant, la question de son droit d'aider ne se pose même pas, puisque aider les autres à se libérer est pour lui une manière privilégiée d'agrandir le champ de sa propre liberté et de son propre épanouissement. L'aidant doit donc être capable de démontrer que, s'il était placé dans les mêmes conditions que son aidé, il s'en tirerait d'une manière plus constructive que ce dernier. Si les aidés pouvaient connaître d'avance la manière dont leurs aidants bâtissent leur propre vie, il est probable qu'un grand nombre d'entre eux préféreraient tenter de se tirer seuls d'affaire plutôt que de faire appel à des aidants qui sont autant ou plus démunis qu'ils ne le sont eux-mêmes devant l'existence. La connaissance approfondie de la psychologie humaine, les études prolongées dans ce domaine, la capacité d'en analyser et expliquer les méandres, ne sauraient constituer à elles seules une justification à l'intervention d'aide.

Le terme **aider** désigne une intervention en faveur d'une personne dans laquelle l'aidant joint ses efforts à ceux de cette personne. C'est dire que le terme lui-même implique que l'agent principal de l'action est **l'aidé** lui-même, l'aidant ne jouant qu'un rôle d'assistance, subordonné à l'action principale dont l'agent demeure toujours l'aidé. **Aider** n'est pas **créer**. La direction de l'action et ses objectifs seront donc déterminés par l'aidé, avec la collaboration de l'aidant, celui-ci se mettant au service de la réalisation de ces objectifs. La nature des objectifs conditionne les moyens utilisés pour les atteindre; l'aidant qui désire aider efficacement ne reculera donc devant aucun moyen qui soit de nature à permettre l'atteinte des objectifs que son aidé, en collaboration avec lui, se sera fixés. Cet aidant ne sera donc pas prisonnier d'une seule approche ou d'un choix déterminé de techniques. Dans son engagement envers l'aidé, il utilisera tous les moyens efficaces qui aident l'aidé à atteindre ses objectifs, l'efficacité des moyens étant déterminée, non par l'attachement de l'aidant ou sa préférence pour certains d'entre eux, mais par leur lien plus ou moins direct avec le résultat désiré. Nul ne songerait à consulter un médecin qui ait donné son allégeance exclusive à un mode de traitement, quelle que soit la nature de la maladie de son patient. Le comportement professionnel du médecin est évidemment déterminé par la maladie et non pas l'inverse.

Le lecteur s'étonnera peut-être de nous voir insister autant sur l'efficacité. Pourtant, si on y pense un peu, une relation d'aide qui ne serait pas efficace, c'est-à-dire qui n'aiderait pas l'aidé à atteindre les objectifs que lui et son aidant se sont fixés ensemble, n'a pas de justification et ne doit pas être appelée aidante. Certaines recherches effectuées sur les résultats de la relation d'aide professionnelle laissent entrevoir que ces relations dites « thérapeutiques » sont fort souvent inefficaces (Eysenck, 1965; Levitt, 1963).

Sans nier que des relations dans lesquelles l'aidé verbalise ses problèmes avec un aidant sympathique, puissent être gratifiantes pour l'un et l'autre partenaire, il faut résolument réserver le terme **aidante** aux relations d'où l'aidé ressort en ayant accru sa capacité réelle de vivre d'une manière qui lui permette de s'épanouir davantage dans la ligne de ses potentialités, de **vivre libre.**

Aider n'est pas une activité occasionnelle dans la vie d'un véritable aidant, une activité séparée de sa « vie réelle ». C'est proprement une manière de vivre. S'il n'en est pas ainsi, l'aidant sera sans cesse confronté à des problèmes de conflit de rôle. Idéalement, ce sont toutes les relations de l'aidant qui seront des relations aidantes, des relations où il tentera toujours de créer les conditions favorables à l'accroissement de la liberté de ses interlocuteurs, liberté surgissant de sa propre libération toujours plus approfondie. Aider n'est ni un passe-temps, ni une occasion de dévouement, ni un gagne-pain, mais l'étoffe même de la vie libérée de l'aidant.

CHAPITRE 2

Le développement de l'être humain

Le présent chapitre se propose de présenter sommairement une vue d'ensemble du développement de la personnalité, inspirée des réflexions et recherches d'un certain nombre de psychologues contemporains. Il ne peut être question, dans le cadre de ce volume, de procéder à une étude exhaustive des diverses théories qui tentent d'expliquer le développement de la personnalité. Il s'agit plutôt de brosser un tableau d'ensemble, constituant la base de réflexions postérieures sur le déroulement de la relation d'aide.

En venant au monde, un être humain apporte avec lui un certain nombre d'éléments prédéterminés et hérités de son entourage constitué au premier chef par ses parents. Sa constitution génétique a, jusqu'à maintenant, résisté à tout effort de manipulation ou de modification. Dès le début aussi, l'être humain se trouve en contact avec son environnement, et c'est dans l'interaction entre sa **base** constitutive et cet **environnement** que se forme sa personnalité. L'évolution d'un être humain surgit donc d'une double source: le développement dynamique de ses propres forces de croissance et l'interaction de ces forces de croissance avec son environnement. L'homme n'est pas plus le jouet passif des influences externes qui s'exercent sur lui qu'un pur dynamisme se développant indépendamment de l'entourage. Un pommier n'arrive pas à maturité indépendamment du sol dans lequel il s'enracine et des soins que lui prodigue le jardinier, mais il est vrai également de dire que, sans la force de croissance présente à l'intérieur du pommier, ni le sol ni les soins du jardinier ne lui feront jamais produire une seule pomme.

L'homme est un être dynamique, continuellement en devenir, possédant une **histoire** et orienté vers un **avenir**; pour le comprendre à un point donné de son évolution, il faudra toujours tenir compte du passé dans lequel il s'enracine et de l'avenir vers lequel il tend. A partir de la base innée de son être, l'homme ne fait pas que réagir à son environnement; il agit aussi pour le modifier. Cette action modifiante à son tour vient le changer, ne fût-ce que légèrement.

Avec le temps et l'évolution, une certaine constance s'établit, sous-jacente aux variations plus superficielles. La personnalité s'organise et s'intègre. Elle comprend à la fois le capital inné, le potentiel partiellement développé, ce que la personne a acquis par l'apprentissage. Elle comporte les aspects physiques, émotifs et intellectuels de l'être humain, ses capacités, ses talents, ses connaissances, ses souvenirs, les comportements qu'il a appris, ses attitudes, ses croyances, ses habitudes et tendances, basés sur le passé et orientés vers l'avenir.

Ces divers éléments sont intégrés de façon unique et sans cesse changeante pour chaque personne. Pour tout être humain, cette intégration n'est jamais achevée et se poursuit pendant toute la vie de l'individu, chacune des étapes de sa vie requérant une nouvelle intégration. Il s'ensuit que l'être humain est continuellement changeant, ce changement constituant l'étoffe même de la vie. En ce sens, il est exact de dire qu'il est impossible pour l'être humain de se connaître lui-même complètement et qu'il lui est, à plus forte raison, encore plus difficile d'en connaître un autre intégralement. Toutefois, certains aspects de la personnalité connaissent plus de permanence que d'autres et il est donc possible d'acquérir une connaissance vraie, quoique jamais exhaustive, de soi-même et des autres. Ces aspects relativement plus stables de la personnalité exercent une influence directrice sur le développement de l'être humain, en conditionnant la manière dont il perçoit et donc, intègre, son propre monde intérieur et son environnement. Chaque être humain perçoit la « réalité » à sa manière, selon ce qu'il est, à travers les filtres de sa personnalité et de ses expériences antérieures. La « réalité » est essentiellement ambiguë et c'est nous qui l'interprétons et lui assignons un sens. Selon ce que nous sommes, certains de ses aspects nous frappent davantage et nous avons ainsi tendance à les privilégier aux dépens des autres. Chacun peut vérifier ce phénomène expérimentalement, par exemple, par l'examen de sa réaction à un stimulus ambigu.

Ainsi, dans le dessin A, une personne verra une rangée de gobelets inversés, alors qu'une autre percevra une série de feuilles de houx aux piquants acérés. Dans le dessin B, on pourra voir alternativement une espèce d'urne, de vase ou de calice, ou la représentation de deux profils humains se faisant face. Le dessin C peut être vu comme incliné vers la gauche ou la droite, selon les perceptions. Au dessin D, les points x et y peuvent être vus comme soulevés ou,

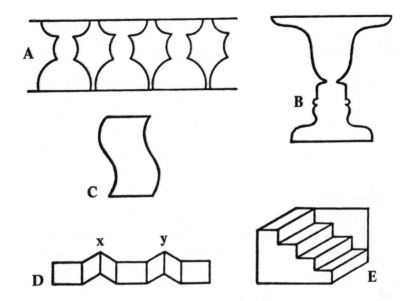

au contraire, enfoncés. Enfin, le dessin E peut représenter soit un escalier, soit une espèce de corniche.

L'individu expérimente donc la « réalité » de façon essentiellement subjective, bien que, spontanément, chacun de nous soit porté à attribuer à ses perceptions subjectives une valeur absolue. Tout se passe souvent comme si, pour nous, notre manière de nous percevoir et de percevoir le monde qui nous entoure était la seule possible.

La tendance à l'actualisation de soi

Pour expliquer le développement d'un être humain, il faut postuler la présence en lui d'une tendance à son accomplissement, à l'actualisation de ses potentialités. Sans entrer dans les discussions d'école sur le sujet, disons que, sans cette tendance à l'actualisation, il semble impossible d'expliquer le développement complet de l'être humain. Entre autres, il devient impossible d'expliquer comment un être humain puisse parvenir à se développer alors que les conditions environnantes semblent très défavorables à sa croissance. On doit également postuler que cette tendance à l'accomplissement est radicalement positive, c'est-à-dire qu'elle tend à la croissance et non à

21

la destruction de l'être. Que cette tendance soit à l'œuvre en nous est peut-être le plus aisément perceptible dans le domaine de la croissance physique: l'organisme corporel utilise les ressources de son environnement pour croître, grandir et se développer selon sa ligne propre. Il en est de même dans le domaine psychologique; il ne s'agit pas de minimiser l'importance de l'environnement pour la croissance et la maturation d'un être humain, il s'agit plutôt de ne pas oublier que l'influence de l'environnement s'exerce sur un être lui-même doué de sa puissance intérieure de développement. Si le soleil, l'engrais et la pluie peuvent faire pousser le pommier, c'est bien parce qu'il y a un pommier pour commencer, et qu'il y a dans le pommier une capacité de développement qui est **influencée,** mais non **créée,** par les influences externes.

La tendance actualisante ne s'accomplit pas toujours harmonieusement selon ses divers aspects; un secteur de la personnalité peut se surdévelopper aux dépens des autres; cette hypertrophie entraîne des conflits internes qui ne sont d'ailleurs pas toujours, loin de là, nuisibles à l'être humain. Certains génies de l'humanité ont été ainsi des êtres profondément déséquilibrés.

L'épanouissement de l'être humain et l'accomplissement de sa tendance actualisante ne se déroulent pas en vase clos. C'est dans le contact interpersonnel qu'ils se développent. Encore ici, il ne faut pas exagérer un élément aux dépens de l'autre, affirmer, par exemple, que tout accomplissement de soi est impossible sans le contact interpersonnel, ou croire que le rapport interpersonnel ne joue qu'un rôle négligeable.

Cet épanouissement de sa tendance actualisante constitue pour l'être humain la conquête de sa liberté. A sa naissance, l'enfant n'est que potentiellement libre: ce n'est que progressivement que l'homme entre en possession de lui-même. Les conditions dans lesquelles il est plongé influencent profondément sa croissance, puisque au début, le bébé est entièrement dépendant de son environnement. Une fois les besoins fondamentaux de boire, manger et recevoir un degré suffisant de chaleur sont assurés, il semble bien que le besoin le plus profond de l'être humain soit de recevoir l'affection des figures dominantes de son entourage. Se sentir aimé d'un amour non-exploitant est sans aucun doute la condition la plus importante pour assurer le développement d'une personnalité bien intégrée. Cette condition affecte non seulement le développement émotif de l'être humain, mais également son développement intellectuel et même physique, ainsi que l'ont démontré les recherches de Harlow (Harlow, 1958) et de Spitz (Spitz, 1949).

Pour se développer harmonieusement, l'enfant doit pouvoir non seulement réagir à son environnement mais encore apprendre graduellement à prendre l'initiative de le modifier par son action propre. Cet apprentissage est fortement conditionné par la qualité de l'environnement émotif de l'enfant. S'il est soumis à une atmosphère défavorable, faite de rejet et de non-amour, les énergies de l'être humain sont plus ou moins entièrement consacrées à sa défense, lui laissant ainsi peu de force pour s'accomplir positivement. Au contraire, dans une atmosphère d'acceptation et d'amour, l'enfant devient capable d'utiliser son énergie vitale à entrer en contact avec la réalité et à y trouver matière à l'accroissement de son être. L'enfant est comme une plante; le cactus, arrivant péniblement à survivre dans un environnement hostile, est aussi une plante qui croît très lentement et qui est recouverte d'épines défensives. Au contraire, dans une atmosphère tempérée, enraciné dans un sol riche et bien arrosé, le pommier se développe harmonieusement et produit une récolte abondante de fruits. Une atmosphère défavorable tend à favoriser le développement de la peur chez l'enfant; à son tour, la peur empêche l'être humain de sortir de lui-même pour aller à la rencontre du monde et des autres. Son énergie passe à se bâtir des défenses qui, si elles le protègent contre les menaces réelles ou imaginaires de l'environnement, restreignent aussi sa capacité d'épanouissement et de liberté.

Le cheminement de l'être humain vers sa maturité s'accomplit par étapes, chacune des étapes requérant un nouvel apprentissage et l'abandon des sécurités acquises au stade précédent. Le bébé qui apprend à marcher doit pouvoir laisser de côté la sécurité des bras de ses parents pour s'aventurer seul à travers la pièce. L'enfant qui commence à aller à l'école doit pouvoir laisser derrière lui la sécurité du foyer familial pour s'engager dans un nouveau milieu. Chaque progrès implique donc à la fois la gratification des besoins de développement et de croissance, et la frustration amenée par l'abandon des modes antérieurs de fonctionnement. Dans ce développement, le fait de se sentir aimé apporte à la fois une motivation vers l'acquisition d'un mode supérieur de fonctionnement et la diminution des frustrations impliquées par le dépassement exigé.

A travers ces expériences répétées et selon l'atmosphère engendrée par le contact avec l'entourage se développe graduellement chez l'enfant son concept de lui-même. Le concept de soi est simplement la manière dont un être humain se perçoit lui-même, comment il se voit lui-même. On ne saurait trop insister sur l'importance de cette conception de soi dans le développement et la croissance. La manière dont quelqu'un se perçoit lui-même influence grandement la manière dont il perçoit l'environnement et la manière dont il entre en contact avec le monde.

Au début, ce concept de soi se bâtit en dépendance étroite de la manière dont l'enfant se sent perçu par les autres. Ainsi, si un enfant est traité par les personnes importantes de son entourage comme ayant peu de valeur, il tendra à se percevoir lui-même comme un être de peu de valeur et à agir d'une manière correspondant à cette perception. Prenons une mère qui répète à son enfant qu'il n'est pas assez intelligent pour apprendre convenablement les mathématiques à l'école; l'enfant, ne possédant pas encore une solidité suffisante de son moi basée sur l'expérience personnelle, tendra à faire sienne cette perception de lui-même comme inapte à l'apprentissage des mathématiques. En conséquence, il abordera cette étude avec crainte et méfiance, s'attendant à l'échec. Son attitude défaitiste, acquise de sa mère, diminue sa capacité de faire face aux difficultés que comporte ce nouvel apprentissage. Parce qu'il se conçoit comme « faible en maths », il aura tendance à éviter de concentrer ses énergies sur ce domaine et il s'ensuivra qu'effectivement, il se trouvera empêché d'apprendre dans ce domaine. Il en résultera qu'il deviendra objectivement faible en mathématiques, la prophétie de la mère se trouvant vérifiée, mais malheureusement sans que la mère ni l'enfant ne se rendent compte que c'est cette prophétie même qui a engendré le résultat prophétisé.

A son tour, la performance médiocre de l'enfant dans le domaine des mathématiques entraînera des répercussions négatives de son entourage: parents, professeurs, camarades, qui viendront renforcer l'image qu'il se fait de lui-même et diminuer encore sa capacité d'apprentissage. Il s'agit d'un authentique cercle vicieux dont la construction pourrait se décrire comme suit:

1. Une personne significative pour l'enfant prédit son incompétence dans un domaine.
2. L'enfant prend à son compte cette perception et se perçoit lui-même comme incompétent.
3. Le malaise et le doute engendrés chez l'enfant par la perception

de lui-même comme incompétent le font agir d'une façon incompétente.

4. L'entourage réagit à cette incompétence en transmettant à l'enfant une perception accrue de lui-même comme incompétent.

Le cercle se trouve ainsi bouclé: le sentiment que l'enfant a de son incompétence le mène à agir de façon incompétente et les réactions de son entourage accroissent son sentiment d'incompétence.

Une fois que le concept du moi est assez formé, il devient difficile à modifier. Il acquiert de plus en plus de rigidité, qu'il soit positif ou négatif. Une personne qui a une image d'elle-même négative tend à percevoir la réalité de façon négative, à être sensibilisée, par exemple, aux messages négatifs de son entourage et à ne pas percevoir, ou du moins à minimiser, les messages positifs. Son concept négatif d'elle-même tend donc toujours à se renforcer. Si une telle personne reçoit d'une personne significative de son entourage des messages positifs, elle aura tendance, paradoxalement, à les repousser et à s'en défendre, accusant en somme la personne qui lui renvoie une image positive d'elle-même de manquer de goût ou de mentir. Les messages positifs reçus de cette personne significative sont en effet perçus par la personne comme des attaques à la constitution de son moi négatif. Tout se passe comme si la personne disait:

« Je ne vaux rien.
Tu dis que tu m'aimes.
De deux choses l'une:
— ou tu mens,
— ou tu dis la vérité.
Si tu mens, je vois bien que je ne vaux rien
Puisque tu me mens et me trompes.
Si tu dis la vérité, tu n'as pas de goût,
Et donc ton affection n'a pas de valeur pour moi
Parce que tu es stupide.
Si tu es stupide, ton amour n'a pas de valeur;
Donc, je continue à ne rien valoir. »

Le même phénomène joue, de façon inverse, dans le cas d'une personne possédant une image positive d'elle-même.

La maturité d'un être humain réside dans sa capacité de donner son amour de façon désintéressée à d'autres. Pour pouvoir arriver à ce don d'elle-même, une personne doit d'abord, de toute évidence, être arrivée à la possession d'elle-même: nul ne peut donner ce qu'il ne possède pas. A son tour, cette possession de soi ne saurait être atteinte sans une acceptation profonde de soi, sans un amour de soi authentique, basé sur la lucidité et la vérité. On voit donc comment une personne qui a d'elle-même une image négative et qui donc se rejette et se déteste, est incapable d'en arriver à aimer d'autres personnes en vérité.

L'amour des autres et le don de soi, indices les plus certains de la maturité humaine, reposent donc sur un amour de soi véritable. A son tour, cet amour de soi trouve sa source dans l'amour reçu des autres. Plus je me sens aimé, plus je m'aime moi-même et plus je deviens capable d'aimer à mon tour. En aimant les autres, je reçois d'eux un retour d'amour et le cercle est bouclé encore une fois, dans le sens positif cette fois. En conséquence de cet amour donné et reçu, l'être humain se sent libéré de l'obligation d'utiliser ses forces psychologiques à se défendre. Il lui devient donc possible de les utiliser de façon constructive, de les laisser se développer, arrivant ainsi graduellement à la liberté de plus en plus complète, celle dans laquelle ses ressources s'épanouissent au maximum de leur envergure.

Dans ce bref chapitre, nous avons tenté de présenter une image partielle du développement de l'être humain vers sa maturité. Nous n'avons pas fait mention des autres conditions qui favorisent le développement, préférant, dans les limites de ce volume, insister sur le besoin fondamental de tout humain: celui de se sentir aimé et accepté par les autres et par lui-même. Si ce besoin n'est pas raisonnablement satisfait, les autres facteurs qui favorisent la croissance se trouvent limités dans leur efficacité; au contraire, dans une atmosphère d'amour, l'influence positive de ces autres facteurs se trouve décuplée.

Pour illustrer ce qui précède, nous présentons ici des fragments d'une lettre écrite par une aidée au cours de son contact d'aide. Pauline (le nom est fictif) est une enfant illégitime qui fut, très tôt, adoptée par un couple qui, malheureusement, ne lui prodigua guère que des mauvais traitements jusqu'à ce qu'elle s'enfuie du foyer à 18 ans. Agée d'une trentaine d'années au début du contact, elle possédait d'elle-même une image très négative et résistait opiniâtrement à tout message positif de son entourage. La lettre qui suit fut écrite après 6 mois de rencontres hebdomadaires.

« Après beaucoup d'hésitation, et malgré la peur que j'éprouve, je me décide de vous livrer les conflits qui se bousculent en moi. Je me demande comment je ferai pour vous exprimer tout cela: c'est tellement mêlé, il y a tellement de sentiments parfois contradictoires qui m'envahissent les uns après les autres et parfois en même temps. Il y a ce sentiment de crainte que vous ne me comprendrez pas, que vous rirez de ce que je vais vous dire, que vous me jugerez mal, que vous ne m'aimez pas. J'éprouve aussi un espoir, très faible cependant, que vous serez compréhensif, que vous m'aiderez vraiment à m'en sortir . . .

« Pendant 30 ans, j'ai vécu sans amour, sans joie, dans l'angoisse, l'amertume, le désespoir, la révolte contre Dieu, les autres, la vie, la honte, l'indifférence et même la haine. En plus de toutes ces souffrances physiques et morales, je n'appartenais à personne. Je me sentais et j'étais en réalité l'enfant de personne, même pas de ceux qui auraient pu remplacer mes vrais parents, et la vie est cruelle, car si on n'a pas de parents, on n'a pas non plus d'amis, parce que soi-même on se renferme, on se sauve, on a peur, on se sent rejetée de tous. Contradiction atroce: tout en éprouvant une soif intense d'amour, d'amitié, on s'y refuse, on n'y croit pas . . . Peut-on donner de l'amour sans en avoir déjà reçu? Peut-on croire à l'amour sans l'avoir connu, goûté, et surtout quand on a grandi avec la haine?

« L'amour, ce sentiment le plus beau, le plus grand, qui doit naître avec nous et même bien avant nous, qui normalement nous fait naître, l'amour ne m'a pas fait naître; c'est toujours pour moi quelque chose de vraiment tragique, un tourment continuel et même un ennemi terrible. Que de fois j'ai maudit la vie.

« Parmi toutes mes souffrances la pire fut celle de ne pas avoir été aimée par un père et une mère. Que de fois je me suis posé avec amertume et révolte ces angoissantes questions: « Où est ma mère? Que fait-elle? Comment est-elle? Pense-t-elle à moi? Qu'est-ce qu'une mère? Qu'est-ce que c'est pour un enfant d'être aimé, accueilli, compris, respecté par sa mère, par son père? » Et combien d'autres. C'est une blessure qu'on ne peut guérir, une douleur qu'on ne peut oublier tout à fait. Peut-on oublier et nier ce qui est primordial dans une vie? On ne passe pas une journée sans en entendre parler, sans en vivre. Oui, tout le monde en parle, on en chante, on en écrit la beauté, la grandeur, la richesse, la valeur irremplaçable. Chaque fois que j'entendais ou lisais quelque chose sur le sujet, je sentais en moi une révolte, une douleur aiguë. Le simple mot « papa » me révoltait et me remplissait le cœur de tristesse, de mauvais souvenirs. On dit que l'amour maternel nous accompagne toute notre vie, et que « privé d'affection maternelle, le monde deviendrait un enfer ». Cet enfer, je l'ai vécu depuis trente ans ... On dit encore: « Tant qu'on n'est pas unique au monde pour quelqu'un, on n'est pas aimé, on n'est rien ... » Car il n'y a pas un humain qui n'a pas besoin de la compréhension et de la chaleur sentie des autres et surtout d'un autre. Je me demande si vous pouvez comprendre ce que c'est que de n'avoir jamais eu de papa et de maman, d'avoir même été délaissée par eux dès sa naissance, de penser que l'on n'a été probablement pour sa mère qu'un objet de mépris, de honte, de désespoir.

« Cette semaine, quand je pensais à cela, je vous disais: « Je vous déteste. » Je vous déteste peut-être parce que j'ai peur de vous aimer. Pardonnez-moi de vous écrire cela, mais je veux être sincère avec vous.

« Cette semaine, ça ne va vraiment pas. Je me sens déprimée physiquement et moralement. Je me sens comme dans un grand tunnel très noir et très froid, mon cœur se remplit souvent de tristesse, d'amertume et parfois de colère. Je me sens inquiète, un ennui terrible me déchire continuellement. Je n'ai de goût pour rien. Mon travail ne me dit rien; en plus, ça ne va pas tellement bien dans ce domaine. Je me sens agressive, impatiente, les nerfs à fleur de peau; avec mes élèves je suis très inconstante, souvent très exigeante; par contre, à d'autres moments, je ne le suis pas assez. J'ai l'impression que ça fonctionne mal dans ma classe. Tout ce que je parviens à faire, c'est d'essayer de faire paraître le moins possible ce que je ressens, en m'efforçant de garder une certaine bonne humeur extérieure, mais tous les soirs et quand je suis seule, je pleure beaucoup. Au point de vue physique, je me sens très fatiguée, j'ai comme l'impression que je n'ai pas dormi depuis des jours tant mes paupières sont lourdes; les yeux me brûlent. Après ma classe, souvent, je me couche tant je me sens à bout et je n'ai pas le courage de rien faire. Avec cela, maux de tête, nausées, etc.

Je ressens une grande soif d'amour, un vide que je ne puis décrire. Je me sens malheureuse, méchante, et je pleure. Je me pose de nombreuses questions qui restent sans réponse. J'ai peur. [...]

Hier soir, j'ai beaucoup pensé à vous positivement. Je commence à croire que vous allez me comprendre. Je ressens plus d'affection pour vous, mais la peur de vous aimer, la peur de vous est toujours là et me bouleverse. »

CHAPITRE 3

Le déroulement de la relation d'aide et les attitudes fondamentales de l'aidant

L'objectif primordial de toute relation d'aide est de favoriser l'épanouissement de la liberté de l'aidé. Comme nous l'avons vu précédemment, il ne suffit pas pour ce faire que la relation existe entre les deux personnes impliquées: certaines relations sont délétères à l'un ou l'autre des participants, ou même aux deux. Il est donc primordial de s'interroger sur les conditions qui vont rendre la relation aidante. De plus, parmi ces conditions, il importe de distinguer, dans la relation aidante, les éléments qui sont indispensables et hors de la présence desquels l'aide ne se produit pas, de ceux dont la présence peut être simplement souhaitable. Si nous pouvons nous permettre une comparaison d'ordre chimique, il s'agit d'isoler, par l'analyse qualitative et quantitative, les éléments de la réaction globale qui contribuent puissamment à cette réaction, de ceux qui ne font qu'y contribuer faiblement ou qui sont inertes.

Cette recherche présente un double intérêt. Elle permet à l'étudiant de connaître les attitudes qu'il lui est indispensable d'acquérir ou de développer pour apporter une aide efficace. Elle rend également possible l'évaluation, par l'étudiant lui-même ou par des observateurs externes, de la qualité et de l'efficacité de toute relation qui se réclame du qualificatif « aidante ».

Si les chercheurs s'intéressent depuis déjà de nombreuses années aux problèmes concernant l'efficacité de la relation dite « aidante », ce n'est que relativement récemment que des études précises, basées sur autre chose que des impressions ou des attitudes dogmatiques, ont pu être réalisées.

C'est un progrès technique, l'invention de l'enregistrement, d'abord sur disques, puis sur ruban magnétique, qui a permis d'étudier avec plus de précision les phénomènes de la communication et, entre autres, ceux de la communication aidante. L'initiative de Carl Rogers dans ce domaine est fondamentale. C'est grâce à la patience et au travail acharné de centaines de chercheurs, enregistrant, écoutant, transcrivant et analysant des milliers d'heures d'entrevue que nous connaissons aujourd'hui un peu mieux les caractéristiques de l'entretien d'aide.

A la suite de ces études, Rogers publiait en 1957 un article qui fit sensation. Intitulé: « Les conditions nécessaires et suffisantes du changement de personnalité thérapeutique » (Rogers, 1957), l'article prétendait énumérer de façon exhaustive les éléments indispensables à toute « production d'aide » dans le rapport interpersonnel.

Plus récemment, les travaux de Carkhuff et des membres de son équipe sont venus préciser et raffiner les découvertes initiales de Rogers. Depuis 1963, cette équipe a publié une somme considérable de recherches sur divers aspects de la relation aidante, notamment sur ses ingrédients de base. L'une de leurs initiatives les plus intéressantes a consisté à mettre au point des **échelles** permettant de mesurer le degré de présence des diverses attitudes de l'aidant à l'intérieur de la relation. Nous possédons ainsi des instruments qui, sans être parfaits, permettent tout de même d'arriver à plus de précision dans la mesure des attitudes.

Quelques notions sur les échelles

L'une des démarches scientifiques les plus importantes de l'homme consiste pour lui à mesurer son monde. Dans le domaine physique, les instruments de mesure ont atteint des degrés de précision extrêmes. On peut aujourd'hui mesurer presque tout, avec des marges d'erreur infimes, depuis l'infiniment grand, par exemple, la distance qui sépare les étoiles entre elles, jusqu'à l'infiniment petit, comme les dimensions des noyaux cellulaires.

Hors du domaine physique, les instruments de mesure sont beaucoup plus rudimentaires et comportent des marges d'erreur souvent considérables. La mesure des attitudes n'échappe pas à ces servitudes. Comment mesurer, par exemple, une attitude comme l'amour du rosbif chez l'Anglais? L'un des moyens consiste, à partir de l'observation attentive, à choisir un certain nombre de comportements extérieurement observables, plus ou moins caractéristiques des Anglais qui disent aimer le rosbif. Je pourrai ensuite agencer ces comportements en une échelle qui me permettra de situer les Anglais que j'observe à divers niveaux. Ainsi, je puis décider que la personne qui dépense moins de 0.5% de son revenu en rosbif est au niveau 1 de mon échelle. Je peux décider que l'Anglais qui mange du rosbif au moins une fois la semaine est au niveau 2. Plus mon échelle comportera d'échelons, plus elle sera précise; elle sera aussi de moins en moins maniable. Il existe, en somme, un point au-delà duquel la précision nuit à l'efficacité pratique. Compte tenu de ces limites, les échelles demeurent des instruments de mesure valables, pour peu qu'on respecte leurs propriétés statistiques. Dans les pages qui suivent nous allons étudier successivement les attitudes fondamentales de l'aidant, telles que décrites par les échelles élaborées par Carkhuff et ses collaborateurs.

LA COMPRÉHENSION EMPATHIQUE PRÉCISE ET SA COMMUNICATION

Il est courant d'entendre l'un des partenaires d'une relation, que ce soit un enfant vis-à-vis de l'un de ses parents, une épouse vis-à-vis de son mari, un aidé vis-à-vis de son aidant, reprocher à l'autre de ne pas le **comprendre.** Si nous nous attardons à notre propre expérience, il est très probable que nous connaissons des personnes dont nous sommes certains qu'elles ne nous comprennent pas; par ailleurs, il est vraisemblable qu'à un moment ou l'autre de notre vie, nous avons eu conscience d'être compris par un autre. Qu'est-ce donc que cette **compréhension** de l'autre, qui constitue le premier élément indispensable de toute relation aidante?

Commençons par écarter des descriptions insuffisantes de ce phénomène. La compréhension dont il est question ici ne porte pas d'abord sur ce qu'on pourrait appeler le « contenu » de la communication. Ainsi, quand M. Dubois révèle à son épouse qu'il a perdu son travail, on ne dira pas, si ce n'est de façon très superficielle, que Mme Dubois comprend son mari, si elle ne saisit que le contenu factuel de sa communication, à savoir, que M. Dubois est maintenant chômeur. De même, quand le petit Jean-Claude raconte à son père que tous les autres garçons à l'école ont une bicyclette, le père ne pourra se flatter de comprendre son fils s'il ne va pas au-delà de la réception du message: « tous les autres ont une bicyclette ». Je peux très bien saisir le contenu « objectif » des communications de l'autre personne sans pour autant comprendre la personne.

Il me faut faire un autre pas pour y parvenir et m'efforcer en somme de répondre à une question: « Quelles **émotions** subjectives sont véhiculées, explicitement ou implicitement, par le message de l'aidé? » Quand l'aidant parvient, si imparfaitement que ce soit, à saisir les émotions subjectives de l'aidé, communiquées plus ou moins clairement par ce dernier sous le voile des « contenus » objectifs, on peut dire qu'il commence à comprendre l'autre personne. Il s'agit pour l'aidant d'accomplir un effort de sortie de lui-même et de partage du monde subjectif de son aidé.

Une telle compréhension est donc centrée totalement: 1) sur le monde émotif de l'aidé et 2) sur la perception subjective qu'a l'aidé de ce monde.

Ces deux conditions de la compréhension empathique sont difficiles à remplir pour la plupart d'entre nous.

Pour ce qui est de la centration sur le **monde émotif,** il semble que nous éprouvions souvent un certain malaise devant les émotions des autres, probablement relié au malaise que nous ressentons envers nos propres émotions. Quoique nous sachions intuitivement que les émotions tiennent la première place dans nos vies, nous éprouvons de la difficulté à le reconnaître concrètement et à leur accorder explicitement la place qu'elles occupent en fait. Nous aimons nous percevoir comme des êtres avant tout rationnels, capables de réfléchir froidement et de prendre des décisions basées sur des raisonnements clairs et précis. Notre propre histoire intérieure et celle de toute l'humanité démentent sans cesse cette prétention, mais nous n'en continuons pas moins à agir et à communiquer comme si, chez nous-mêmes et les autres, les émotions ne jouaient qu'un rôle négligeable.

Il suffit de s'arrêter un peu et de descendre quelque peu profondément en soi pour constater combien, au contraire, est fragile chez nous le règne de la rationalité, combien est mince la croûte rationnelle qui recouvre chez l'être humain le bouillonnement des émotions.

Pour ce qui est de la centration sur la subjectivité de l'autre, les difficultés ne sont pas moins considérables. Nous sommes habitués à nous fier à **notre** propre perception du monde extérieur, même si nous savons théoriquement qu'un même objet peut être considéré de diverses manières. Non seulement notre perception nous apparaît-elle justifiée, mais nous avons une tendance inconsciente à l'ériger en absolu, à la considérer comme la seule possible ou la seule légitime. Il faut sans doute voir là des restes de l'égocentrisme infantile qui marque les premières années du développement de l'être humain.

Il faut aussi noter que notre perception des éléments extérieurs est influencée par l'ensemble des perceptions que nous avons eues précédemment et qui constituent ce qu'on appelle techniquement le « cadre de référence. »

Notre manière de percevoir, par exemple, une journée à la plage, est conditionnée par nos expériences antérieures s'apparentant à ce stimulus, de même que par notre éducation, nos préjugés, les stéréotypes sociaux du groupe humain auquel nous appartenons; tout va bien tant que nous sommes conscients que notre perception est bien subjective, mais les choses se gâtent, au point de vue de la compréhension de l'autre, quand nous érigeons notre perception en absolu, quand, au lieu de dire: « Il me plaît beaucoup d'aller à la plage », nous disons: « Il est très agréable d'aller à la plage. »

Dans le premier cas, je communique ma perception subjective du stimulus « plage ». Dans le second cas, j'érige ma perception en absolu, impliquant qu'il est agréable « en soi » de passer la journée à se rôtir au soleil.

Tant qu'un aidant se cantonne à l'intérieur de sa propre perception, érigée en absolu, tant qu'il ne fait pas l'effort, conscient au début, de laisser temporairement de côté, de mettre entre parenthèses, pour ainsi dire, **sa** manière de voir les choses, sans pour autant en nier la présence et la valeur **pour lui**, tant qu'il ne réussit pas à sortir de lui-même pour aller voir les choses à travers les yeux de son interlocuteur, on ne peut pas dire qu'il comprend empathiquement ce dernier.

Le schéma suivant tente de représenter graphiquement le mouvement empathique:

Le mouvement empathique

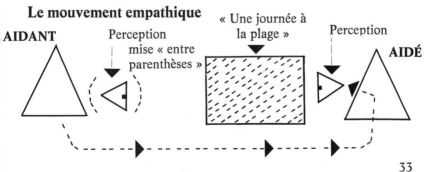

AIDANT

Perception mise « entre parenthèses »

« Une journée à la plage »

Perception

AIDÉ

33

La compréhension empathique comporte plusieurs degrés, à partir d'une saisie très superficielle des émotions de l'autre, jusqu'à une compréhension totale de son monde émotif. Rien de tel, pour comprendre ces niveaux différents, que d'étudier avec soin l'échelle de compréhension empathique telle que proposée par Carkhuff et ses collaborateurs (Carkhuff, 1969, tome 2, p. 315-317).

La compréhension empathique précise

Niveau 1

Les émissions verbales et non-verbales de la première personne **ne se rapportent pas** ou **s'écartent notablement** des émissions verbales et non-verbales de la deuxième personne, en ce sens qu'elles communiquent nettement moins des émotions de la personne, que ce que cette personne en a elle-même communiqué.

La première personne ne manifeste aucune perception des sentiments, même les plus évidents, de la deuxième personne. La première personne peut être ennuyée ou, plus simplement, se baser sur un schème de référence préconçu qui exclut complètement celui de l'autre personne.

En somme, la première personne fait tout, sauf manifester qu'elle écoute, comprend, ou est réceptive aux émotions même très évidentes de la deuxième personne.

Niveau 2

Quoique la première personne réagisse aux émotions exprimées par la deuxième personne, elle le fait **en soustrayant une part** notable du contenu et de l'intensité émotive exprimée par la deuxième personne.

La première personne peut exprimer une certaine compréhension des émotions de surface, évidentes chez l'autre personne, mais ses communications affaiblissent la charge émotive et déforment le sens des communications de la deuxième personne.

Niveau 3

Les émissions de la première personne en réaction aux émotions exprimées par la seconde personne sont **essentiellement interchan-**

geables avec celles de la seconde personne. Elles expriment essentiellement la même charge émotive et le même sens.

La première personne communique une compréhension précise des émotions de surface de la seconde personne, mais peut ne pas réagir à ses émotions plus profondes ou mal les comprendre.

En somme, la première personne réagit de telle sorte qu'elle n'ajoute rien et ne soustrait rien à ce que la seconde personne a exprimé, explicitement et clairement, mais elle ne réagit pas avec précision à ce que la seconde personne sent réellement sous la surface. Le niveau 3 constitue le niveau minimum pour une relation interpersonnelle d'aide.

Niveau 4

Les réactions de la première personne **ajoutent notablement** aux émissions de la seconde personne, en ce sens qu'elles expriment les émotions à un niveau plus profond que celui auquel la seconde personne a pu s'exprimer.

L'aidant communique sa compréhension des émissions de la seconde personne à un niveau plus profond qu'elles n'ont été exprimées; il permet ainsi à la seconde personne d'expérimenter et/ou d'exprimer des émotions qu'elle était incapable d'exprimer auparavant.

En somme les réactions de l'aidant ajoutent en profondeur aux sentiments et aux contenus exprimés par la seconde personne.

Niveau 5

Les réactions de la première personne **ajoutent de façon significative** aux émissions de la seconde personne, en ce sens que:

1. Elles expriment avec précision des sentiments, beaucoup plus profondément que la seconde personne n'a pu les exprimer.
2. Dans l'éventualité où la seconde personne s'explore elle-même profondément, la première personne est complètement « avec » elle.

L'aidant réagit avec précision à tous les sentiments de la seconde personne, tant superficiels que profonds. Il est « avec » elle, « sur la même longueur d'onde ».

En somme, l'aidant réagit avec une compréhension empathique totale de l'autre personne et de ses sentiments les plus profonds.

Quoique cette échelle soit suffisamment claire, et n'ait pas besoin de nombreuses explications, certains points appellent tout de même quelques commentaires.

Communication verbale et non-verbale

Quoique peu de nous en soient conscients, la plus grande partie des messages que nous émettons vers notre entourage s'exprime sur le mode non-verbal. Gestes, regards, mimiques diverses, sueurs, tressaillements, le catalogue non-verbal est immense et varié. Il est aussi continuellement en état d'émission, même quand nous sommes totalement silencieux, même quand nous dormons. Il arrive que nos deux modes de communication soient en désaccord, que nous disions une chose alors que notre langage non-verbal révèle notre véritable pensée. Nous reviendrons sur ce point en parlant de l'authenticité.

Encore là, nous avons tendance à attribuer une importance primordiale à la communication verbale, à ce que nous disons avec des mots ou des sons. La recherche scientifique démontre pourtant le primat incontestable de notre système non-verbal de communication.

Les degrés d'évidence des émotions

Le monde émotif de l'aidé est comparable à un iceberg. Seule une partie restreinte de ces montagnes de glace flottantes émerge à la surface de la mer. La plus grande part demeure submergée, invisible mais présente. Ainsi en est-il des émotions communiquées par l'aidé. Certaines seront **très évidentes,** explicites, communiquées verbalement et non-verbalement; ainsi, une personne qui dit: « Je me sens très triste » et qui sanglote en même temps, communique très clairement une partie de son monde émotif. Par ailleurs, d'autres émotions peuvent être communiquées beaucoup moins clairement, soit parce que l'aidé restreint volontairement son expression, soit parce qu'il manque de moyens d'expression, soit encore parce qu'il n'est que vaguement conscient de la présence de ces émotions en lui. Ainsi, un aidé peut exprimer de façon évidente des sentiments d'irritation et de colère mais il se peut que ces sentiments reposent sur une infrastructure faite d'émotions comme la jalousie, le dépit, la peur; à un niveau plus profond, on pourrait trouver des émotions profondément enfouies, dont il n'est que très vaguement conscient lui-même, comme des sentiments d'infériorité, de non-confiance en soi.

L'iceberg des émotions

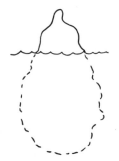

Irritation
Colère

Jalousie
Dépit
Peur
Infériorité
Non-confiance en soi

La précision de l'empathie

La précision dont il est question ici joue sur deux plans: d'abord quant à l'**identification** des émotions et deuxièmement, quant à leur **intensité.** L'aidant doit s'efforcer d'identifier correctement les émotions exprimées par son aidé, ne pas nommer **tristesse** ce qui est **crainte** pour l'aidé, ni qualifier de colère ce qui n'est qu'**agacement** pour son interlocuteur. Pour ce qui est de l'intensité, l'aidant doit s'efforcer de saisir le degré exact auquel l'émotion est présente chez l'aidé au moment où il s'exprime. Il doit éviter à la fois d'exagérer et de minimiser. Deux exemples feront saisir plus clairement ces deux erreurs:

Aidé: « Je me sens un peu embêté par toute cette affaire. »
Aidant: « Vous vous trouvez vraiment angoissé par la situation. »

Dans ce cas, l'aidant exagère sensiblement et amplifie l'expression des sentiments de l'aidé.

Aidé: « J'en ai vraiment assez de la conduite de ma femme; je ne peux plus la supporter. »
Aidant: « Vous vous sentez un peu ennuyé par votre femme. »

Ici, l'aidant minimise l'expression des émotions de son aidé. Cette attitude minimisante est fréquente chez les aidants débutants; elle surgit sans doute du malaise ressenti par l'aidant devant l'expression d'émotions puissantes de son aidé. L'exagération comme la minimisation, est inappropriée dans une relation d'aide; l'une comme l'autre empêche l'aidé de se sentir compris dans son unicité et saisi dans son monde à lui.

Les erreurs quant à l'identité et à l'intensité sont caractéristiques des communications de l'aidant au niveau 2.

La notion de niveau minimum (Niveau 3)

Il est un mythe très répandu parmi les personnes qui prétendent en aider d'autres en communiquant avec elles. Ce mythe peut s'exprimer ainsi: « Je n'aide peut-être pas la personne avec qui je parle, mais au moins, je ne peux pas lui nuire en communiquant avec elle. » Quelque rassurante que soit cette conception pour l'aidant, elle est clairement erronée. La communication de l'empathie aux niveaux 1 et 2 est nuisible pour la personne qui cherche de l'aide. Au niveau 1, le pseudo-aidant n'est en aucune manière réceptif aux émotions très évidentes de son aidé, ce qui ne saurait produire chez ce dernier que des sentiments de frustration, de dépit et finalement un abandon de la relation. Cependant, dans un grand nombre de cas, cet abandon de la relation est empêché par d'autres facteurs, par exemple par le prestige dont jouit le pseudo-aidant aux yeux de l'aidé.

Pensons, par exemple, à la relation entre une jeune fille timide et une supérieure religieuse maternelle et sécurisante, mais peu compréhensive.

Empêchée de rompre la relation par le respect qu'elle a pour sa supérieure et conditionnée par le cadre social, la jeune fille continue malheureusement à maintenir une relation délétère avec sa supérieure. Il faut bien se rendre compte que, dans de telles circonstances, le pseudo-aidant peut, en fait, nuire considérablement à son aidé, quoique la relation puisse sembler sereine et harmonieuse de l'extérieur. Pensons à la relation entre un enfant et des parents qui minimisent systématiquement l'intensité de ses expressions émotives (niveau 2). Comment un tel enfant n'apprendrait-il pas, à la longue, à considérer comme mauvaise toute expression un peu accentuée de son émotivité et, en conséquence, comment n'en arriverait-il pas à un appauvrissement de sa vie émotive, à des sentiments de contrainte et de frustration généralisés?

Pour qu'il se produise de l'aide, il faut que l'aidant transmette à son aidé au moins autant d'émotion et de contenu personnel que celui-ci lui en a communiqué (niveau 3). C'est dire que les réactions de l'aidant, en réponse aux communications de l'aidé devront être **interchangeables** avec ces dernières. On doit se demander: « Est-ce que l'aidé aurait pu dire ce que l'aidant vient de répondre, et est-ce que l'aidant aurait pu dire ce que l'aidé vient d'énoncer? Si la réponse à ces questions est affirmative, nous pouvons dire que l'aidant comprend l'aidé au moins autant que celui-ci se comprend lui-même clairement, n'ajoutant rien et ne soustrayant rien à ce que ce dernier vient d'exprimer clairement.

Cette compréhension de l'aidant communiquée à l'aidé produit en général au moins deux effets principaux. D'abord, elle permet à l'aidé de se **re-connaître;** en recevant de l'aidant une image de lui-même, il se trouve placé comme devant un miroir vivant dans lequel il peut scruter les traits de son visage intérieur. Sans doute est-il possible de se connaître dans l'introspection, c'est-à-dire en somme en se parlant à soi-même, mais, pour beaucoup d'entre nous, c'est en faisant l'effort de communiquer qui nous sommes à une personne qui nous comprend que nous arrivons à mieux nous connaître nous-mêmes. En second lieu, cette compréhension augmente la sécurité de l'aidé. A mesure que l'aidé se sent compris par son aidant, il ressent en général un accroissement de courage pour explorer des régions auparavant inconnues de sa géographie intérieure, ou, pour reprendre une image utilisée plus haut, pour descendre dans les régions sous-marines de son iceberg émotif. On pourrait encore comparer le monde intérieur de l'aidé à une maison comportant plusieurs étages et d'innombrables pièces, dont un bon nombre souterraines. De sa maison intérieure, l'aidé « moyen » connaît en général le vestibule et les quelques pièces attenantes. Il y laissera assez facilement pénétrer les visiteurs. Ces pièces sont bien éclairées et décorées: ce sont celles que nous montrons aux autres et dans lesquelles nous nous tenons la plupart du temps. Cependant, nous sommes bien conscients qu'il existe tout un ensemble d'autres pièces où, en général, nous sommes les seuls à avoir accès. Elles constituent la zone de notre intimité et nous n'y laissons pénétrer que des amis sûrs. Enfin, il existe encore un très grand nombre de pièces dont nous soupçonnons vaguement l'existence mais où nous ne mettons pas nous-mêmes les pieds. Elles sont souvent obscures et poussiéreuses, encombrées de tout le matériel que nous avons lentement accumulé au cours de notre existence. Nous avons perdu la clé de bon nombre de ces pièces, d'autres ont leur porte entrebâillée mais nous avons peur de les explorer; certaines autres nous sont totalement inconnues. Il se peut que l'une ou l'autre soit la chambre de Barbe-Bleue.

Tout va bien tant que tout est tranquille dans ces pièces reculées de notre maison intérieure, mais il arrive que quelque chose n'aille pas, qu'une conduite éclate dans l'une ou l'autre d'entre elles, qu'un incendie couve dans le soubassement et que la fumée s'infiltre dans les pièces où nous habitons tous les jours. C'est alors qu'il nous faut commencer à explorer ce domaine inconnu. La plupart des gens ressentent de la frayeur et de l'embarras devant cette exploration, ne sachant trop par où commencer et redoutant de retrouver des horreurs au fond des vieux cartons accumulés depuis des années. C'est alors que la présence d'un aidant compréhensif, cheminant avec l'aidé dans la pénombre des pièces mal éclairées, accompagnant pas à pas l'aidé dans son voyage en lui-même, devient un élément sécurisant pour l'aidé. Au niveau 3 de la communication de la compréhension empathique, l'aidant marche au même pas que l'aidé, il est vraiment son compagnon de route; il n'en est pas ainsi au niveau 1, où le pseudo-aidant n'accompagne pas du tout l'aidé et a, au contraire, tendance, ou bien à rester sur place, ou bien à tenter d'entraîner l'aidé dans une exploration selon un plan préconçu, basé sur les idées que se fait l'aidant de la maison de l'aidé. Au niveau 2, l'aidant accompagne l'aidé, mais de loin; il est en quelque sorte à la remorque de l'aidé. Dans ces deux cas, on ne peut pas parler d'aide; il faudrait plutôt parler d'embarras, le pseudo-aidant empêchant ou retardant l'exploration par l'aidé de sa maison intérieure.

Les niveaux 4 et 5 de l'empathie

Aux niveaux 4 et 5, et toujours en utilisant l'image de la maison intérieure, on constate que l'aidant précède de plus ou moins loin son aidé. C'est dire que l'aide apportée par l'aidant est de plus en plus marquée. Ici, l'aidant marche devant l'aidé dans les corridors de la maison intérieure, il éclaire les coins obscurs; sa démarche sera d'ailleurs toujours conditionnée par l'allure à laquelle l'aidé s'explore lui-même. Nous reviendrons sur ce point en parlant des phases de la relation d'aide. Nous sommes ici en présence d'un aidant qui comprend mieux l'aidé que ce dernier ne se comprend lui-même et qui, en lui communiquant cette compréhension, permet à l'aidé de connaître des régions de lui-même auparavant inconnues. Il peut sembler prétentieux d'affirmer que l'aidant des niveaux 4 et 5 comprend mieux l'aidé que celui-ci ne se comprend lui-même, mais ce talent lui vient de sa capacité d'écouter totalement son interlocuteur, de son habileté à saisir non seulement le thème principal de la mélodie, mais aussi toutes les harmoniques qui l'accompagnent. Aux niveaux 4 et 5, l'aidant n'invente rien; il n'explique pas, ne juge pas, ne se lance pas dans de savantes interprétations; il ne fait que communiquer en **clair** ce qu'il a perçu, exprimé de façon confuse par son aidé. Il lui faut naturellement être attentif aux moindres nuances des communications de l'aidé, presque deviner ce que celui-ci exprime de façon plus ou moins embrouillée.

Les obstacles à la compréhension empathique

Il est relativement facile de comprendre en quoi consiste la compréhension empathique; il est beaucoup plus difficile de la pratiquer. Enumérons ici un certain nombre de phénomènes qui rendent impossible ou difficile la compréhension de l'autre.

1. Le phénomène de la troisième oreille

Pour pouvoir comprendre totalement l'autre, il faut que l'aidant **l'écoute** totalement. C'est dire que toute son attention doit être concentrée sur les communications de l'aidé. La principale source de distraction de l'aidant provient de son propre discours intérieur. Si nous avons deux oreilles qui, placées de part et d'autre de notre tête, nous permettent de capter les messages de notre entourage, nous possédons tous aussi une troisième oreille, invisible celle-là, avec laquelle nous écoutons notre propre langage intérieur. Il semble impossible de capter avec clarté deux séries simultanées de messages; il suffit pour s'en convaincre de se rappeler combien il est difficile de comprendre en même temps la personne qui nous parle au téléphone quand une autre personne près de nous tente de nous communiquer, fût-ce non-verbalement, un autre message. Le même phénomène joue analogiquement pour l'aidant qui s'efforce d'écouter son aidé. S'il se laisse distraire par ses propres pensées intérieures, en somme, s'il se parle à lui-même et s'écoute lui-même, il ne parviendra pas à écouter totalement son interlocuteur.

L'aidant qui veut comprendre profondément son aidé doit se résigner à **se taire** extérieurement mais surtout intérieurement. Il doit être centré le plus complètement possible sur le monde de l'aidé et débrancher temporairement son propre système de communication intérieur avec lui-même. Il n'en arrivera jamais au silence intérieur complet, mais ce qui compte, c'est que sa communication interne ne vienne pas interférer avec son écoute de l'autre.

Le langage intérieur de l'aidant est surtout difficile à interrompre quand les communications de l'aidé éveillent chez l'aidant des souvenirs chargés d'émotion ou touchent des régions particulièrement sensibles chez lui. A ce propos, il est important de déceler la source d'un second obstacle à l'écoute totale de l'autre: la sympathie.

2. L'empathie n'est pas la sympathie

Faute de faire clairement la distinction entre ces deux attitudes, bien des aidants réduisent inutilement leur capacité d'aide efficace. La sympathie est une attitude intérieure par laquelle une personne ressent les mêmes sentiments qu'une autre personne à propos du même objet. Ainsi, la femme d'un de mes bons amis meurt, et il en est désolé; disons qu'elle m'était très chère à moi aussi. Sa mort m'attriste donc profondément. Je me trouve alors en situation de sympathie vis-à-vis de mon ami; nous éprouvons simultanément un sentiment de peine à propos de la mort de sa femme.

L'empathie consiste en tout autre chose, comme nous l'avons déjà montré. Il n'est pas question pour celui qui est empathique de ressentir personnellement des sentiments analogues à ceux que vit son aidé; quelque estimable et profondément humaine que soit la sympathie, il n'en reste pas moins qu'elle m'empêche d'être totalement attentif au monde de l'autre, préoccupé que je suis par l'écoute de mes propres sentiments. Si je veux être empathique, j'ai à m'efforcer de comprendre comment l'autre personne perçoit le monde, tout en faisant tous les efforts pour « mettre entre parenthèses » mes propres perceptions, mes propres émotions, mes propres idées et préjugés. Ainsi, l'aidant, comme être humain, ne peut pas toujours être sympathique, et il n'est pas souhaitable qu'il le soit du tout, mais il peut toujours être empathique, ou au moins s'efforcer de le devenir.

3. Le jugement ou l'évaluation

Un troisième obstacle à l'écoute empathique de l'autre consiste en la tendance d'un grand nombre d'aidants à évaluer, juger leurs interlocuteurs. Il est fort important de constater que la compréhension empathique n'implique ni accord, ni désaccord avec les perceptions de l'aidé. Accord ou désaccord ne sauraient être émis qu'à partir d'un jugement moral posé par l'aidant, basé sur sa perception à lui de la « réalité ». C'est là une attitude dont l'aidant doit se défaire le plus possible, que le jugement soit positif aussi bien que négatif, qu'il véhicule une approbation aussi bien qu'un blâme. L'évaluation ou le jugement moral n'ont pas de place dans une relation aidante et toute communication de l'aidant qui transmet un jugement de l'aidé ne peut que gêner ou, à la limite, détruire la relation aidante.

Quand je m'efforce de comprendre le monde comme mon interlocuteur le voit, il ne me reste ni le temps ni l'énergie pour le juger ou l'évaluer moralement. N'importe qui peut se permettre de juger, blâmer, louer, encourager, soutenir, mais rares sont les humains qui réussissent à comprendre les autres. Si une relation dite « aidante » ne peut offrir que ce type d'attitudes, elle ne diffère pas de celles que l'aidé peut nouer avec la plupart des personnes qu'il rencontre et ne se justifie donc pas. Le jugement tend à emprisonner l'aidé dans le cadre de référence de l'aidant et à diminuer d'autant sa liberté, souvent déjà minime. Il suffit d'ailleurs de s'arrêter à réfléchir un peu pour constater que le jugement est une activité interdite aux humains, tout simplement parce qu'elle est ridicule. Pour pouvoir juger, il me faudrait **connaître** complètement l'autre personne dans ses motivations les plus secrètes, les méandres de son inconscient, les dédales de son histoire intime. Il faudrait aussi que je puisse affirmer que je détiens la norme infaillible de l'agir humain. Tout cela est impossible. Il s'ensuit que tout jugement moral proféré par un humain ne saurait être qu'erroné, injuste, inexact.

Nous ne connaissons même pas suffisamment notre propre monde intérieur pour pouvoir nous juger nous-mêmes légitimement; ceci devrait nous mettre en garde, non seulement contre le jugement hâtif des autres, mais contre toute espèce de jugement. Quand je juge, il y a deux choses que je puis me dire avec certitude: d'abord, que je me trompe, et deuxièmement, que j'adopte une attitude qui est nuisible pour mon aidé.

4. La préoccupation d'obtenir des résultats immédiats

Certains pseudo-aidants sont dévorés d'un zèle intempestif à l'endroit de leurs aidés. Ils veulent « régler leurs problèmes », oubliant naïvement qu'une telle opération est absolument impossible. Ces « aidants » distribuent conseils, avis, recommandations, suggestions ou même directives, avec une aisance qui laisse stupéfait. Ils ont l'impression d'aider efficacement quand ils ont trouvé **la** solution aux problèmes exposés par l'aidé. Une telle attitude implique fatalement une conception de l'aidé comme d'un être incapable de faire face de façon constructive **pour lui** aux problèmes de son existence.

Une telle attitude n'est absolument pas aidante. Parce que conseils, avis ou directives, émanant exclusivement de l'aidant, impliquent un jugement, on peut leur adresser les mêmes critiques que celles dirigées ci-haut contre l'évaluation. Cette distribution hâtive de conseils recouvre d'ailleurs souvent chez son auteur la préoccupation secrète de se débarrasser de son aidé. Il est long et pénible de se mettre patiemment à l'écoute de l'autre, de consentir à l'effort prolongé d'abandonner ses propres perceptions pour s'ouvrir au monde de l'autre, de s'efforcer d'identifier ses émotions confuses et embrouillées; combien plus facile de donner rapidement un conseil, de recommander une ligne d'action, de suggérer une solution immédiate et de renvoyer ainsi l'aidé sans trop se préoccuper de la justesse du conseil, de l'opportunité de la solution. Si le conseil n'est pas suivi ou si la solution s'avère inefficace, on pourra toujours blâmer l'aidé et lui reprocher son manque de courage, ou s'en prendre aux circonstances défavorables, ou proférer d'un air grave que certains problèmes sont insolubles.

La communication de la compréhension empathique

Pour jouer son rôle éclairant pour l'aidé, la compréhension de l'aidant doit évidemment lui être communiquée. Il est inutile pour l'aidé que son aidant le comprenne profondément si ce dernier ne le lui manifeste pas. La communication de l'empathie est également essentielle pour l'aidant; elle seule, en effet, lui permet de vérifier constamment la précision de sa compréhension de l'autre. L'aidé, en tant qu'émetteur de ses émotions, se trouve seul capable d'authentifier la qualité de la compréhension qu'il reçoit de son aidant. Si l'aidant ne retransmet pas fréquemment ce qu'il croit avoir compris des émotions et des contenus de son interlocuteur, il s'expose à ce qu'on pourrait appeler « l'erreur des astronautes ».

On sait que, lors des expéditions lunaires, compte tenu de la distance énorme qui sépare le point de départ du point d'arrivée, une erreur de trajectoire, minime au départ, pourrait, si elle n'était pas rectifiée, entraîner l'échec de toute l'expédition et projeter le véhicule spatial sur une orbite solaire. L'analogie vaut également pour la relation aidante. L'aidant se doit de vérifier continuellement la précision de sa compréhension, sous peine de dévier insensiblement et de se retrouver éventuellement fort éloigné de son interlocuteur. Puisque l'aidé est le seul à connaître son monde intérieur, il est le seul capable de dire à l'aidant si sa compréhension est exacte, ce qu'il ne pourra évidemment faire que si l'aidant lui transmet fréquemment ce qu'il croit avoir compris.

Les réponses de compréhension simple

Ces réponses constituent un premier moyen que l'aidant peut utiliser pour transmettre sa compréhension de l'aidé. Elles consistent en une variété de « bruits » émis par l'aidant, tels que les « Hum . . . Hum », « Ah oui », dont la variété est considérable et qui sont accompagnés de communications non verbales telles que le regard attentif, la position légèrement inclinée vers l'avant, les hochements de tête de l'aidant. Ces réponses, très simples, communiquent à l'aidé l'attention et la disponibilité de l'aidant. A condition de n'être pas exagérées, elles semblent rendre plus aisée la communication par l'aidé de son monde intérieur. Elles sont évidemment insuffisantes pour transmettre à l'aidé toute la richesse de la compréhension de l'aidant et pour permettre à ce dernier d'éviter « l'erreur des astronautes ».

La reformulation

Le moyen privilégié pour l'aidant de communiquer sa compréhension semble bien être la reformulation. Elle consiste à transmettre à l'aidé la substance EMOTIVE de ses communications, telle que perçue par l'aidant. La reformulation adéquate est donc différente du psittacisme, qui consisterait à répéter mot pour mot ce que l'aidé vient de dire, procédé qui demeure possible même pour un aidant qui n'a rien saisi de la communication de son aidé.

Comme ce sont les émotions de l'aidé qu'il s'agit pour l'aidant de saisir, la reformulation adéquate sera surtout centrée sur le monde émotif de l'aidé et seulement de façon accessoire sur ce qu'on pourrait appeler le **contenu** de ses communications.

Quelques exemples pourront aider à mieux comprendre les diverses facettes d'une bonne reformulation.

Aidé: « Si je le dis à ma femme, elle va en être bouleversée, mais si je ne lui dis rien, je vais me sentir pas mal coupable. »

Reformulation 1

« Le lui dire va la rendre un peu malheureuse et ne pas le lui dire va vous faire vous sentir très coupable. »

Cette reformulation est inadéquate de diverses manières:

1. Elle est entièrement centrée sur le contenu de la communication de l'aidé, sur le « problème », et ne communique pas une perception de sentiment sous-jacent au dilemme qu'il a exprimé.
2. La reformulation est inexacte quant à l'intensité des sentiments de la femme de l'aidé (minimisation) et de l'aidé lui-même (exagération).
3. Le langage utilisé est très impersonnel, faisant un grand usage de verbes à l'infinitif.

Reformulation 2

« Vous n'avez vraiment pas envie de faire l'un ou l'autre ».

Cette reformulation est mieux construite pour les raisons suivantes:

1. Elle transmet à l'aidé un sentiment sous-jacent non-explicitement exprimé par lui, mais dont la présence se déduit facilement de sa communication.
2. L'intensité de l'émotion de l'aidé est mieux respectée.
3. Le vocabulaire employé est directement centré sur l'aidé; la phrase commence par un « VOUS » très personnel.

Une telle reformulation témoignerait de la présence d'une compréhension empathique à un niveau légèrement supérieur à 3.

Quelques difficultés de la reformulation

1. Les formules stéréotypées

Certains aidants commettent l'erreur élémentaire de commencer presque toutes leurs reformulations par la même formule, comme « Vous sentez . . . ». Ce procédé finit par éveiller l'agressivité de l'aidé et sa monotonie donne à toute la relation un caractère artificiel. On peut facilement éviter cette monotonie en utilisant une variété de moyens, par exemple en nommant le sentiment que l'aidé a exprimé: « Vous étiez en colère... », « Vous êtes bien content... » ou d'autres formules comme « Il vous semble que... », « En d'autres termes, vous... », « Si je vous comprends bien, vous... », « Il me semble que vous... ».

2. Le choix du moment opportun

Faut-il reformuler souvent ou rarement, et à quels moments de la communication de l'aidé? Il n'y a pas de règle fixe ici; cependant, il est bon de se rappeler que les aidants parlent souvent trop abondamment. Quand il se produit une pose dans la communication de l'aidé, l'aidant aura souvent avantage à attendre quelques secondes avant d'entreprendre une reformulation. Il pourra à ces moments utiliser une réponse de compréhension simple (Hum...Hum), de façon à laisser l'aidé continuer à développer la communication de ses émotions à sa manière. Cependant, dans le cas où un aidé s'exprime à grande allure, en exprimant un grand nombre de sentiments sans les approfondir, il pourra être opportun pour l'aidant d'interrompre l'aidé par une reformulation brève, pour lui offrir la possibilité d'approfondir sa compréhension de son monde émotif. Si l'aidé s'exprime rapidement, mais sans exprimer beaucoup de sentiments, l'aidant ferait mieux de se taire.

3. Le choix des sentiments à reformuler

Il est relativement rare que l'aidé qui explore son monde émotif exprime une seule émotion à la fois. Il s'ensuit que l'aidant, devant l'impossibilité pratique de tout reformuler, devra opérer un choix et reformuler ce qui lui apparaît être central à ce moment dans les communications émotives de l'aidé. L'aidant devrait se garder, dans une telle situation, de céder à une tendance commune à beaucoup de débutants et de reformuler le **dernier** sentiment énoncé par l'aidé. Ce sentiment n'est pas forcément celui qui est central pour lui, ni celui qu'il est le plus opportun d'éclaircir ou d'approfondir.

Types divers de reformulation

1. La reformulation immédiate est celle que l'aidant émet en réponse immédiate à une émotion communiquée par l'aidé.

2. La reformulation-synthèse regroupe en une même communication un certain nombre de sentiments exprimés par l'aidé à divers moments de sa communication: « D'après ce que vous dites, vous semblez avoir été très irrité de la remarque de votre femme, mais en même temps vous ne pouvez pas vous empêcher de penser qu'elle a raison au fond. »

Ce type de reformulation a souvent l'avantage de faire ressortir l'ambivalence de l'aidé vis-à-vis de certains éléments de son expérience, et peut lui permettre de mieux comprendre les conflits qu'il éprouve intérieurement.

3. La reformulation-résumé est du même type que la reformulation-synthèse mais s'applique à des unités plus considérables de la communication; reprenant, par exemple, en une même formulation, un certain nombre de sentiments-clés énoncés par l'aidant au cours d'une longue période de la relation: « Il me semble bien que, chaque fois que vous allez voir votre mère, vous vous trouvez partagé entre des sentiments d'affection et des sentiments d'agacement et que ce mélange intérieur vous plonge dans un grand malaise. »

Le dosage de la communication de la compréhension empathique

L'aidant doit à tout moment de la relation tenir compte le plus exactement possible de la situation psychologique de son aidé. C'est dire que la communication de sa compréhension de l'autre sera elle aussi soumise à ce principe fondamental. L'empathie n'est pas un « bien en soi ». Elle doit être adaptée aux capacités de l'aidé à tel moment de la relation. Trop d'empathie peut être aussi nuisible que trop peu. Imaginons par exemple l'effarement possible d'un aidé se connaissant mal lui-même, exprimant son monde émotif à un niveau relativement superficiel, et à qui son aidant administrerait des doses massives d'empathie aux niveaux 4 et 5. L'aidant devra donc toujours se demander si la compréhension qu'il transmet n'est pas « trop riche », inassimilable pour l'estomac, peut-être assez délabré, de son aidé.

Les niveaux 1 et 2 de l'empathie sont toujours inadéquats, puisqu'ils demeurent en deçà de la compréhension que l'aidé a de lui-même. Le niveau 3 constituant le niveau minimum sera le plus souvent employé avec un aidé qui commence à s'explorer lui-même. Ce n'est que progressivement que l'aidant pourra communiquer à l'aidé des niveaux plus approfondis de compréhension. Trop d'empathie trop tôt peut produire chez l'aidé des phénomènes de blocage et de panique, et diminuer d'autant l'efficacité de la relation. A ce propos, il est opportun d'introduire ici une autre échelle, celle qui tente de décrire et de mesurer l'auto-exploration de l'aidé.

Echelle de l'auto-exploration de l'aidé

Niveau 1

La deuxième personne **n'aborde pas de sujets personnels,** soit parce qu'elle n'en a pas eu la chance, soit parce qu'elle évite de les aborder même quand ils sont introduits par la première personne. Ainsi, la deuxième personne évite toute description ou exploration d'elle-même, ou toute expression directe de ses émotions qui la ferait se révéler à la première personne.

Niveau 2

La seconde personne **aborde des sujets personnels en réponse** à leur introduction par la première personne, mais elle le fait de façon mécanique et sans montrer d'émotion. Ainsi, la seconde personne discute simplement les sujets personnels sans sonder leur sens ou leur importance, et sans chercher à explorer ces sujets.

Niveau 3

La deuxième personne **introduit volontairement des sujets personnels,** mais le fait de façon mécanique et sans montrer d'émotions personnelles. Ainsi, l'échange sur les sentiments personnels semble forcé et artificiel, sans spontanéité et sans recherche intérieure pour découvrir de nouvelles émotions.

Niveau 4

La seconde personne **introduit volontairement des sujets personnels avec spontanéité et émotivité,** mais sans une tendance nette à se sonder intérieurement pour découvrir de nouvelles émotions.

Niveau 5

La seconde personne **s'engage spontanément et activement** dans une recherche intérieure pour découvrir en elle-même son monde émotif, même si elle le fait avec hésitations et/ou crainte. La seconde personne explore activement et pleinement son monde intérieur.

On voit que l'aidant devrait se garder de présenter des niveaux de compréhension empathique supérieurs à 3 à un aidé qui n'a pas lui-même atteint le niveau 3 dans l'échelle d'exploration de lui-même. A mesure que l'aidé progresse dans l'exploration de lui-même (niveaux 4 et 5), l'aidant pourra opportunément lui manifester une compréhension à des niveaux correspondants.

Un dernier mot sur la compréhension empathique. Il semble bien qu'il existe une relation directe entre la capacité de l'aidant de comprendre l'autre et sa capacité de se comprendre lui-même. Un aidant qui se connaît peu lui-même, pour lequel son propre monde émotif demeure une énigme et une source de crainte, éprouvera bien de la difficulté à pénétrer dans le monde émotif de l'autre personne. Pour reprendre une analogie utilisée auparavant, avant de prétendre aider un être humain à visiter sa maison intérieure, il semble juste de demander à l'aidant d'avoir fait lui-même cette exploration. Dans le cas contraire, il s'expose à des surprises désagréables et, à la limite, à nuire à son interlocuteur plus qu'à l'aider. Il n'est pas nécessaire que l'aidant se connaisse totalement lui-même, qu'il ait exploré les moindres coins de son habitation intérieure. Si tel était le cas, fort rares seraient les humains capables d'en aider d'autres. La relation d'aide est à double sens, et il n'est pas rare que l'aidé aide l'aidant à découvrir des facettes nouvelles et inconnues de lui-même. Il reste cependant que l'aidant doit se connaître lui-même profondément s'il veut prétendre en aider un autre à se connaître lui-même profondément.

LE RESPECT CHALEUREUX ET SA COMMUNICATION

Dans le cadre de notre réflexion sur les ingrédients essentiels de la relation d'aide, nous abordons maintenant l'étude du deuxième élément: le respect chaleureux de l'aidé par l'aidant. Il s'agit d'une attitude interne de l'aidant par laquelle ce dernier considère son aidé comme une personne acceptable et comme un objet d'affection et d'amour.

Cette attitude envers l'aidé repose sur un certain nombre de présupposés qu'il faut examiner. Elle suppose d'abord que l'aidant considère l'aidé comme un être humain investi, à ce titre, d'une valeur et d'une dignité infinies, quels que puissent être par ailleurs ses comportements. En second lieu, l'aidant qui accepte vraiment l'autre considère que toute personne humaine a un droit strict de prendre ses propres décisions et de mener sa vie comme bon lui semble.

Troisièmement, l'aidant considère que la personne possède la capacité, peut-être fort peu développée, mais présente quand même, de faire des choix constructifs pour elle et d'arriver à mener une vie pleine, épanouie et socialement valable. Enfin, l'aidant reconnaît que chaque personne est responsable de sa vie et de ses décisions. Il s'agit donc d'une attitude d'estime et de respect qui pose initialement le moins de conditions possibles à l'autre. Comme pour la compréhension empathique, la considération des cinq niveaux de l'échelle du respect chaleureux va nous aider à mieux comprendre ce qu'il implique.

Le respect chaleureux

Niveau 1

Les émissions verbales et non-verbales de la première personne communiquent un **manque de respect évident** pour la seconde personne.

La première personne communique à la seconde que les émotions et les expériences de cette dernière ne sont pas dignes d'intérêt, ou que la seconde personne est incapable d'agir de façon constructive.

Niveau 2

La première personne réagit à la seconde, de manière à communiquer **peu de respect** pour les émotions, les expériences et le potentiel de la seconde personne.

La première personne peut réagir de façon mécanique ou passive, ou laisser tomber beaucoup des émotions de la seconde personne.

Niveau 3

La première personne communique un **respect positif et de l'intérêt** pour les émotions, les expériences et le potentiel de la seconde personne.

La première personne communique respect et intérêt pour la capacité de la seconde personne de s'exprimer elle-même et de faire face de façon constructive à ses situations vitales. En somme, la première personne communique à la seconde que, ce que la seconde **fait** et ce qu'elle **est,** lui importent. Le niveau 3 constitue le niveau minimum pour une relation interpersonnelle d'aide.

Niveau 4

L'aidant communique clairement **un très profond respect et intérêt** pour la seconde personne.

Les réactions de l'aidant permettent à la seconde personne de se sentir libre d'être elle-même et de se sentir appréciée comme personne.

Niveau 5

L'aidant communique **le plus profond respect** pour la valeur de la seconde personne et pour son potentiel de liberté.

L'aidant est profondément engagé envers l'autre personne dans sa réalité d'être humain.

Considérons maintenant un certain nombre de comportements fréquemment présents dans la communication interpersonnelle et qui s'opposent au respect intégral de l'autre. L'aidant qui respecte vraiment son aidé ne lui donnera pas d'ordres, de directives ou de commandements, puisque de tels comportements transmettent fatalement à l'aidé que l'aidant le considère comme incapable de prendre des décisions constructives et tendent à lui retirer la responsabilité de ses actions. Il se gardera également de lui transmettre des avertissements ou des menaces: ceux-ci impliquent que l'aidant considère l'aidé comme un être potentiellement destructeur.

De même, l'aidant bannira toute exhortation, moralisation ou « sermon »: ces comportements communiquent à l'aidé que l'aidant le considère comme incapable de diriger lui-même sa vie. Plus subtilement, comme nous l'avons déjà signalé, la véritable acceptation de l'autre est inconciliable avec les conseils, avis, suggestions ou offres de solutions immédiates aux problèmes de l'aidé. Tous ces comportements transmettent à l'aidé que l'aidant n'a pas une très forte confiance en sa capacité de se tirer lui-même d'affaire.

Tout jugement positif et s'exprimant sous forme de louange et de compliment, ou négatif et véhiculant un blâme ou une critique, est également inconciliable avec un authentique respect de l'autre, puisqu'il place l'aidant dans une situation de supériorité morale par rapport à l'aidé. Notons ici que l'aidant efficace possède une véritable supériorité par rapport à l'aidé, mais ce n'est pas en tant qu'il soit son juge, mais bien parce qu'il est capable de mieux comprendre et de mieux aimer l'aidé que celui-ci ne se comprend et ne s'aime lui-même.

Le ridicule, le sarcasme et la moquerie sont évidemment complètement opposés au respect de l'autre. S'il veut vraiment respecter son interlocuteur, l'aidant se gardera aussi de lui transmettre des diagnostics, de l'étiqueter, ce qui est ressenti par l'aidé comme un mépris de son unicité. De même, l'aidant n'a pas à rassurer, soutenir ou consoler l'aidé, ce qui transmet fatalement à ce dernier qu'il est perçu comme un être faible et démuni qui a besoin de s'appuyer sur un être fort et solide.

L'aidant sera aussi prudent dans son usage des questions; la plupart des aidants questionnent beaucoup trop leur interlocuteur, le mettant ainsi mal à l'aise. Cet abus de questions repose presque toujours sur une attitude inconsciente de l'aidant qui se perçoit comme chargé de trouver des solutions aux problèmes de l'autre. Enfin, tentant toujours de respecter intégralement son aidé, l'aidant évitera de changer le sujet de conversation, d'« amuser » son aidé, de distraire son attention en minimisant la situation dont il entretient l'aidant.

Après cette longue énumération d'écueils à éviter, le lecteur se demande peut-être ce qu'il peut faire positivement pour transmettre son respect à son aidé. Disons tout de suite que cette transmission sera impossible si elle n'est pas basée sur un véritable respect intérieur de l'autre, quels que soient sa condition sociale, son âge, son comportement, ses actions, son histoire antérieure. Une des manières les plus efficaces de transmettre un authentique respect est sans doute d'écouter attentivement et empathiquement l'autre personne, en se préoccupant uniquement de bien la comprendre. Il n'est pas nécessaire de dire et redire explicitement à l'aidé: « Je te respecte »; « Tu as une valeur pour moi », « Je t'aime »; l'aidant témoignera bien plus éloquemment de son respect en écoutant activement, en n'interrompant pas et en faisant un honnête effort pour comprendre. Un geste vaut bien des mots dans la communication du respect, et une foule de comportements de l'aidant pourront l'exprimer efficacement. Comment un père ou une mère peuvent-ils prétendre respecter leur enfant s'ils ne trouvent jamais le temps de l'écouter sans vraiment rien faire d'autre? Comment un aidant professionnel ou semi-professionnel peut-il croire qu'il respecte ses interlocuteurs s'il commence toujours ses entrevues en retard, s'il tolère des interruptions extérieures pendant la conversation (téléphone, autres visiteurs, etc.)? Ce n'est pas ici l'endroit de dresser une liste exhaustive de ces multiples comportements par lesquels l'aidant peut communiquer son respect; c'est à chaque aidant d'examiner sa manière d'agir avec ses aidés et de déceler ceux de ses comportements qui entrent en contradiction avec ses prétentions à l'acceptation véritable de l'autre.

Les effets du respect chaleureux pour l'aidé

Les effets de la communication du respect sont en général libérateurs pour l'aidé. Qui d'entre nous ne se sent pas à l'aise quand une autre personne lui témoigne de l'intérêt, de l'affection, du respect? L'aidé qui se sent respecté intégralement par son aidant devient plus capable de s'explorer lui-même profondément et il apprend aussi à adopter la même attitude envers lui-même, c'est-à-dire à s'accepter, se respecter et s'aimer lui-même tel qu'il est et tel qu'il peut devenir. C'est dans la relation avec un aidant profondément respectueux et aimant que l'aidé, qui très souvent se méprise et se déteste lui-même, en vient graduellement à s'apprécier et à s'accepter lui-même. Comme nous l'avons déjà signalé, un aidé qui a une basse estime de lui-même réagira souvent avec scepticisme ou même hostilité à la communication du respect de l'aidant, puisque ce respect et cette affection viennent contredire l'image qu'il s'est faite de lui-même. C'est comme si l'aidé disait à l'aidant: « Il est impossible que tu me respectes et que tu m'aimes vraiment, puisque, je le sais bien, je ne suis ni respectable ni aimable. Donc de deux choses l'une: ou bien tu me connais mal et ainsi tu te trompes quand tu me respectes, ou bien tu me connais bien, et alors tu es menteur quand tu dis m'aimer et me respecter. » Un tel aidé mettra parfois très longuement à l'épreuve les capacités d'acceptation de l'aidant, étant toujours à l'affût d'une contradiction possible dans ses comportements. C'est dire qu'un respect qui ne serait que feint de la part de l'aidant ne saurait résister longtemps à ces épreuves répétées. C'est dire aussi qu'un aidant qui prétendrait respecter profondément et intégralement son aidé avant de le bien connaître se mettrait facilement en contradiction avec lui-même. L'affection et l'amour suivent la connaissance et ne la précèdent pas; on ne peut vraiment aimer que ce que l'on connaît bien. Que l'aidant se garde donc d'exprimer un respect et un amour sans condition au début de la relation, alors que, de toute évidence, il n'a pas encore eu le temps de connaître suffisamment l'aidé.

Le mieux que l'aidant puisse faire souvent, au début de la relation, consiste à s'appuyer sur un préjugé de base favorable, se disant à lui-même que, s'il se donne le temps de découvrir l'aidé, il trouvera certainement en lui des éléments qui viennent justifier son affection et son respect.

Le respect n'est pas la pitié

Il semble important de rappeler ici que le respect chaleureux ne doit pas se confondre avec des sentiments de pitié. La pitié place l'aidant dans une situation de supériorité par rapport à l'aidé. Même si ce dernier la demande et en accueille l'expression avec gratitude, on ne peut en aucune manière démontrer que la pitié soit une attitude libératrice pour l'aidé. Au contraire, la pitié exprimée par l'aidant tend souvent à replier l'aidé sur lui-même et favorise chez lui le développement d'attitudes de pitié envers lui-même, à travers lesquelles il continue à se considérer comme la victime innocente de son éducation, de son entourage, de son milieu, de son époque. Un grand nombre d'aidés sont habités de tels sentiments au début de la relation; à les entendre, la situation pénible dans laquelle ils se trouvent et les problèmes qui les harcèlent sont entièrement dus à toutes sortes de facteurs extérieurs: ils ne sont eux-mêmes nullement responsables de leur état et ne peuvent donc rien faire pour le modifier.

Ce n'est souvent que très graduellement qu'un aidé abandonne une aussi confortable position et en vient à admettre qu'il est lui-même la cause de la plupart des difficultés qu'il rencontre. Nous sommes tous réticents à admettre que nous sommes les premiers artisans de nos ennuis; il est tellement plus commode de blâmer les autres, les circonstances, la « vie ». En adoptant cette attitude, nous nous trouvons exemptés de l'effort long et pénible de nous modifier nous-mêmes. Il est infiniment moins pénible de vitupérer contre ses parents, ses supérieurs, son conjoint, son travail, la société, que de prendre sa vie en main et de commencer graduellement à se changer soi-même. A la question: « Comment en suis-je venu là? », il est toujours tentant pour l'aidé de répondre: « C'est la faute des autres ». Cependant, aucun progrès ne peut se produire avant que l'aidé ne consente à assumer graduellement la responsabilité de ses actes et de ses attitudes. C'est alors seulement qu'il pourra commencer à se changer lui-même, abandonnant l'espoir illusoire de modifier notablement son environnement présent ou, à plus forte raison, de modifier les éléments que l'écoulement du temps place hors de son atteinte. Tous les aidés adultes, par exemple, ont eu des parents partiellement ou totalement inadéquats. Il ne sert de rien pour l'aidé de déplorer leurs diverses erreurs et de mettre sur leurs épaules la responsabilité de ses propres comportements inefficaces dans le présent. Quand l'aidé se sera enfin résolu à se percevoir comme lui-même responsable de son agir présent, ce n'est qu'à ce moment qu'il pourra envisager de se modifier lui-même et d'adopter un agir plus constructif. Pour en arriver à cette attitude de responsabilité personnelle, il est clair que l'aidé n'a pas besoin de la pitié de l'aidant. Cette pitié ne saurait que favoriser l'accroissement de sa propre pitié pour lui-même et retarder d'autant son accession à la responsabilité personnelle de ses actes et de sa vie. L'aidé a besoin d'être respecté et aimé, non pas d'être pris en pitié.

L'inconditionnalité du respect

Une telle acceptation de l'aidé par l'aidant peut-elle et doit-elle être inconditionnelle? Une certaine confusion règne autour de cette attitude d'inconditionnalité et il semble important de tenter de la dissiper ici.

Commençons par considérer que le terme inconditionnel est un terme absolu et implique que l'aidant n'impose à l'aidé **aucune** condition dans son rapport avec lui. Il semble qu'une telle attitude soit irréalisable. L'aidant a sans doute avantage à n'imposer initialement à l'aidé que **très peu** de conditions dans son rapport avec lui, mais il semble indéniable qu'il lui en impose quelques-unes, fussent-elles minimes. Ainsi, tout aidant authentique, parce qu'il est lui-même un être limité, se doit forcément de poser des **limites** à la relation avec son aidé. Ces limites ne sont pas arbitraires et font partie de la réalité, mais elles n'en constituent pas moins des conditions imposées à l'aidé. Pour ne citer qu'un exemple, un aidant authentique n'acceptera pas que son aidé soit en contact d'aide avec lui de façon illimitée. L'aidant possède des capacités limitées d'écoute et de compréhension, et il serait faux pour lui de prétendre que ces limites n'existent pas. Si l'aidé manifeste le désir d'outrepasser ces limites réelles, l'aidant devra continuer à le comprendre et à lui manifester chaleureusement cette compréhension, mais il ne pourra pas, sous peine de contradiction interne, accepter que l'aidé viole ces limites, puisque ceci reviendrait à accepter que l'aidé fasse de l'aidant un être partiellement inauthentique et donc moins capable de l'aider efficacement. Il vaudrait donc mieux, à notre avis, parler, non pas d'inconditionnalité, mais de conditions très minimes posées à l'aidé par l'aidant.

En parlant d'inconditionnalité, on dit souvent: « Cette attitude consiste pour l'aidant à communiquer à l'aidé qu'il continuera à l'estimer et à le considérer positivement quels que soient les comportements et les actes de l'aidé. L'aidant ne juge pas, n'évalue pas et continue en dépit de tout à communiquer à l'aidé sa foi en lui et sa perception de l'aidé comme d'un être éventuellement capable de se prendre en main, d'assumer la responsabilité entière de sa vie et de bâtir son action en conformité avec l'épanouissement toujours plus complet de ses potentialités intimes. »

Il est clair qu'une telle attitude est très libératrice pour l'aidé et qu'elle favorise son épanouissement et sa croissance vers une plus complète autonomie. Cependant, il semble important de souligner qu'une telle attitude implique souvent que l'aidant devienne très exigeant vis-à-vis l'aidé; la vraie acceptation de l'autre ne se confond pas avec une attitude de laissez-faire, dans laquelle l'aidant accepterait passivement que l'aidé, dans le combat qu'il mène contre une partie de lui-même, s'abandonne aux forces négatives qui l'habitent et accepte des limites qu'un effort plus soutenu lui permettrait de reculer.

Le combat de l'aidé

A mesure que le contact d'aide se déroule, tout se passe souvent comme si la personne de l'aidé se dédoublait. D'un côté, on retrouve l'être que l'aidé était au début du contact d'aide, avec ses peurs, son refus partiel ou total d'accepter ses responsabilités, ses contradictions internes, son incapacité relative à se comprendre lui-même, son esclavage partiel ou total. De l'autre côté, on assiste à la naissance et à la lente croissance d'un nouvel être, l'embryon de cet être que l'aidé deviendra éventuellement. C'est encore un être faible, comme tout être naissant, mais il porte l'espoir d'un être intégré, délivré de la peur, plus pleinement conscient de lui-même, plus complètement épanoui, plus acceptant de lui-même et de sa responsabilité fondamentale de sa propre existence et donc, plus autonome, plus libre, plus capable de s'aimer lui-même et les autres dans la lucidité et la vérité.

Un véritable combat se déroule souvent entre ces deux êtres, le premier exerçant, la plupart du temps, une domination tyrannique sur le second. Devant la perspective de se changer lui-même, l'aidé ressent à la fois de l'exaltation et de la crainte: exaltation d'entrevoir une vie plus libre et plus harmonieuse, crainte d'abandonner des schèmes d'action inadéquats mais depuis longtemps enracinés en lui. C'est le phénomène des « oignons d'Egypte ». La Bible rapporte que les Hébreux, devant les difficultés de la traversée du désert, en route vers la liberté, se prirent à regretter le temps où, esclaves en Egypte, ils pouvaient au moins se remplir le ventre de viande et d'oignons que leur fournissaient leurs maîtres (Exode Ch. 16; Nombres, Ch. 11). La liberté est une nourriture savoureuse, mais qui se paye cher.

Il est donc courant que l'aidé connaisse des combats intérieurs où son nouveau moi, au moins au début, risque de s'effondrer sous les assauts de son vieil être, où il risque de capituler devant les exigences de la liberté qu'il désire, tout en redoutant ses exigences.

C'est à ce moment que l'aidant doit se manifester résolument comme l'allié des forces de libération à l'œuvre à l'intérieur de l'aidé, et donc l'ennemi acharné des forces d'esclavage.

Le vrai respect pour l'aidé ne peut pas consister pour l'aidant à n'être que le spectateur bienveillant du combat, souvent terriblement âpre, qui se déroule sur le champ de bataille que constitue l'aidé. **Avec** le nouvel être, il mettra toute son énergie à rechercher passionnément des moyens de s'affranchir de la domination du vieux moi. **Avec** le nouvel être, il s'engagera dans le combat contre la domination écrasante du vieux moi. Jusqu'où l'aidant s'engagera-t-il dans ce combat? Tout dépend de l'affection réelle qu'il a pour son aidé, du respect profond qu'il a pour lui et pour son potentiel de liberté. Le vieux moi ne cède ordinairement pas facilement la place. L'aidé a souvent appris certains comportements et certaines attitudes inadéquates depuis des années; certaines de ses craintes s'enracinent dans son passé lointain. C'est dire que la domination du vieux moi est souvent solidement assise, écrasante pour l'embryon du nouveau moi. Il faut aussi être conscient que, devant la menace faite à sa domination, le vieux moi peut réagir violemment, menacer et terroriser le nouveau moi et tenter, en l'accablant de culpabilité, de maintenir sur lui sa tyrannie.

C'est à ces moments de crise que l'aidant devra se trouver aux côtés du nouveau moi et lui prêter main-forte dans son combat. Qu'on ne s'y trompe pas: il ne s'agit pas que l'aidé abandonne une domination pour tomber sous une autre, celle de son aidant. C'est pourquoi l'aidant ne prendra que très rarement l'initiative du combat, mais se présentera plutôt comme un **allié**, exprimant, par son comportement plus que par ses paroles, sa foi en la capacité de l'aidé d'accéder à une plus grande liberté. Même aux moments les plus noirs, alors que les forces d'esclavage semblent remporter la victoire totale, même quand le nouveau moi a perdu une bataille et bat piteusement en retraite, l'aidant ne perd pas courage. Sa fermeté et sa force doivent permettre à l'aidé de se ressaisir, de reprendre le combat et d'arriver éventuellement à sa libération.

L'aidant lui-même sera souvent tenté d'abandonner la lutte et de consentir à un épanouissement moindre de son aidé. Une partie de l'aidé maudira parfois l'aidant de son entêtement, de son acharnement. Mais n'est-ce pas respecter très profondément quelqu'un que de ne pas céder aux forces qui, en lui, le conduisent à la mort? L'aidant ne peut se réfugier dans la neutralité, même bienveillante, et assister avec un intérêt purement scientifique à la lutte d'un être pour la vie: il ne se laissera pas neutraliser par les essais souvent séducteurs du vieux moi.

Il est clair que seul l'aidé demeure l'agent de sa propre libération, puisque celle-ci est intérieure et ne saurait être acquise par l'intermédiaire d'agents extérieurs. C'est pourquoi l'aidant attendra ordinairement que se manifestent chez l'aidé les signes de son désir d'affranchissement, qui seront en même temps les signes annonciateurs du combat intérieur. Tant que l'esclave accepte sa condition et ne commence pas à relever la tête, son maître demeure passif. C'est quand l'esclave commence à rêver des rêves d'homme libre que le maître, sentant son règne menacé, commence à brandir la panoplie de ses moyens de domination.

Avant de conclure ces réflexions sur le respect chaleureux de l'autre, rappelons que, comme pour l'empathie, la capacité de respect de l'aidant pour l'aidé semble être directement reliée à sa capacité de respect pour lui-même. Un aidant qui ne s'accepte pas, ne se respecte pas et ne s'aime pas lui-même éprouvera des difficultés insurmontables à adopter ces attitudes envers d'autres personnes. Si je ne m'aime pas moi-même, je me trouve toujours sur la défensive dans le rapport interpersonnel, redoutant que mon interlocuteur ne découvre mes faiblesses et les aspects de moi-même que je n'accepte pas. En conséquence, occupé que je suis à me protéger moi-même et à demeurer énigmatique et caché pour l'autre, il ne me reste que peu de liberté pour m'ouvrir à lui, me montrer tel que je suis et aller à sa rencontre sans défense, dans un contact chaleureux. Encore ici, le dicton: « Médecin, guéris-toi toi-même » trouve une application directe. Il faut aussi remarquer que quand, par mon respect et mon acceptation de l'autre, joints à ma compréhension profondément empathique, j'ai réussi à libérer chez mon aidé de semblables potentialités envers lui-même, et donc envers les autres, mon aidé devient progressivement capable d'être à son tour un aidant. Plus il se comprend lui-même et plus il s'aime lui-même. Plus il devient capable de comprendre et d'aimer les autres et de libérer chez eux les capacités qui ont été elles-mêmes libérées chez lui. Un bon aidant peuple le monde, d'autres aidants après lui, et c'est peut-être là l'une des motivations les plus puissantes qui soutienne son travail.

L'AUTHENTICITE ET SA COMMUNICATION

Nous abordons maintenant l'étude du troisième élément dont la présence chez l'aidant rend une relation aidante. Il s'agit de la vérité ou de l'authenticité de l'aidant, appelée aussi **congruence** par l'école rogérienne. Facile à comprendre, mais plus difficile à pratiquer, l'authenticité peut être décrite, comme les autres attitudes, selon cinq niveaux.

L'authenticité

Niveau 1

Les émissions verbales de la première personne sont **clairement sans rapport** avec ses sentiments du moment, et/ou ses seules réactions authentiques sont **destructives** par rapport à la seconde personne et semblent avoir un effet totalement dévastateur de la seconde personne.

La première personne peut être sur la défensive dans son rapport avec la seconde personne; son besoin de défense peut paraître dans le contenu de ses paroles et/ou le ton de sa voix. Quand elle est défensive, elle n'utilise pas sa réaction comme base d'une exploration de la relation qui pourrait être profitable.

Niveau 2

Les émissions verbales de la première personne sont **un peu divergentes** de ce qu'elle sent intérieurement à ce moment, et/ou quand ses réactions sont authentiques, elles sont **négatives** par rapport à la seconde personne; la première personne ne semble pas savoir comment utiliser ses propres réactions négatives comme base d'une exploration de la relation.

La première personne peut réagir à la seconde, d'une manière « professionnelle », qui a une saveur d'« appris à l'école », de jeu de rôle. La première personne réagit plus selon un rôle qu'elle a assumé que selon ce qu'elle sent personnellement.

Niveau 3

La première personne ne donne **pas de signe de divergence** entre ce qu'elle sent et pense et ce qu'elle dit, mais ne donne pas **non plus de signe positif d'une réaction vraiment authentique** à la seconde personne.

La première personne écoute et suit l'autre personne mais n'engage rien de plus d'elle-même. Le niveau 3 constitue le niveau minimum pour une relation interpersonnelle d'aide.

Niveau 4

L'aidant **donne des signes** d'une réaction authentique (positive ou négative), mais non-destructive, aux communications de la seconde personne.

Les émissions de l'aidant sont en accord avec ses sentiments, quoiqu'il puisse demeurer un peu hésitant à les exprimer pleinement.

L'aidant réagit en émettant beaucoup de ses propres sentiments, et il n'y a pas de doute qu'il sent vraiment ce qu'il dit. Il est capable d'utiliser ses réactions, quel que soit leur contenu émotif, comme la base pour une exploration de la relation.

Niveau 5

L'aidant est **librement et profondément lui-même** dans une relation non-exploitante avec la seconde personne.

L'aidant est complètement spontané dans son interaction, et ouvert à des expériences de tout genre, agréables et pénibles. L'aidant est clairement lui-même et il utilise ses propres réactions authentiques de façon constructive.

Comme on le voit, l'authenticité consiste en la correspondance exacte entre ce que l'aidant sent et pense intérieurement et ce qu'il communique à son aidé. En d'autres termes, ce que l'aidant choisit de communiquer à son aidé doit correspondre exactement à un contenu intérieur. Dans son rapport avec l'aidé, l'aidant peut choisir de communiquer ou non ce qu'il pense et sent, mais s'il choisit de le communiquer, son expression, pour être authentique, doit être le reflet fidèle de ce qu'il pense et sent intérieurement. On voit tout de suite qu'il ne faut pas confondre **authenticité** et **ouverture,** cette seconde attitude consistant à livrer de façon exacte tous les contenus internes de l'aidant. En somme, la relation de l'aidant à l'aidé doit être vraie, et fuir tout machiavélisme, manipulation ou jeu de rôle.

On comprend facilement pourquoi une telle attitude est indispensable à toute relation d'aide. Sans elle, en effet, c'est toute la relation qui s'écroule dans le mensonge; une compréhension empathique et un respect chaleureux qui ne reposeraient pas sur la vérité de l'aidant ne sauraient être qualifiés par l'aidé que de façade et de mascarade.

Comme le souligne la description du niveau 1 de la présente échelle, le manque d'authenticité de l'aidant sera le plus souvent décelé par l'aidé grâce aux contradictions entre les systèmes d'émission verbaux et non-verbaux de l'aidant. La plupart d'entre nous ne possédons qu'un contrôle très relatif sur nos émissions non-verbales; rares sont les humains qui parviennent à contrôler à volonté, par exemple, leurs froncements de sourcils, la qualité de leur regard, leurs sécrétions glandulaires externes, les moindres mouvements de leurs membres. Puisqu'il est plus spontané, nous sommes d'ailleurs légitimement portés à accorder plus de confiance au langage non-verbal. L'aidant qui dit à son aidé: « Je trouve votre histoire captivante » tout en étouffant un bâillement, ou qui déclare d'un ton irrité: « Mais au contraire, je suis très détendu », constituent évidemment des caricatures de l'inauthenticité, qu'il n'est malheureusement pas exceptionnel de rencontrer parmi ceux qui se réclament du titre d'aidant. Voici un père qui dit à son fils: « Ce n'est pas que nous n'ayons pas confiance en toi; au contraire, ta mère et moi pensons que tu es un homme et que tu as du jugement. Mais je t'interdis de fréquenter cette jeune fille. » La contradiction à l'intérieur de la même phrase est trop flagrante pour ne pas éveiller au moins un sourire sur le visage de l'adolescent. Ces énoncés contradictoires constituent en fait des marques d'inauthenticité qui ne peuvent qu'empoisonner à la longue une relation et qui, loin d'aider celui qui réclame de l'aide, ne peuvent que lui nuire.

Le dernier paragraphe du niveau 1 appelle quelques explications. Quand l'aidant, au cours de sa communication avec l'aidé, sent surgir en lui des émotions négatives ou défensives envers son interlocuteur, il peut ne pas les communiquer sans pour autant manquer d'authenticité. L'authenticité, comme il a été dit plus haut, ne doit pas être confondue avec l'ouverture. Cependant, quand le phénomène se produit, l'aidant devrait toujours tenter d'élucider ce qu'il y a dans la relation qu'il a nouée avec l'aidé qui donne naissance chez lui à ces sentiments négatifs ou défensifs. Il se peut que cette exploration de la relation soit extrêmement utile à l'aidé, lui permettant de saisir les réactions qu'il éveille chez les autres. Si certains des comportements et des attitudes de l'aidé éveillent, comme c'est fréquemment le cas, des réactions négatives chez les personnes avec lesquelles il entre en contact, il ne faut pas habituellement compter que ces personnes vont pouvoir analyser calmement leur réaction négative et tenter d'amener l'aidé à mieux comprendre comment sa conduite peut produire des effets qu'il ne désire pas. La plupart des personnes, au contraire, ou bien étouffent leur réaction négative et s'efforcent de n'en rien laisser paraître, ou bien l'expriment de façon destructive à l'égard de l'autre. Il est donc important que l'aidant puisse faire ce que les autres ne peuvent ou ne veulent pas faire, c'est-à-dire analyser avec l'aidé ses propres réactions émotives, dans le but d'amener l'aidé à mieux comprendre les résultats, souvent inattendus pour lui, de ses comportements et de ses attitudes. On mesure ici à quel point une relation d'aide authentique diffère du contact social de tous les jours.

Le niveau 2 de l'échelle d'authenticité décrit une attitude fréquemment présente chez des aidants novices; ces personnes, dont il ne s'agit en aucune façon de mettre en doute la bonne volonté et la sincérité, ont assumé le « rôle » d'aidant, mais sans être intimement transformées en personnes aidantes. Aider demeure pour elles une activité bien circonscrite, une fonction, un travail dans lequel elles ne sont pas profondément et personnellement impliquées. Que l'aidant qui se prétend authentique se demande s'il change quelque peu quand il est en contact d'aide et quand il ne l'est pas. Ainsi, un père ou une mère changent-ils d'attitude quand ils sont en compagnie de leurs enfants et quand ils sont à causer avec des amis? L'attitude d'un conseiller social varie-t-elle quand il rencontre des assistés sociaux et quand il est avec son épouse? Un prêtre catholique change-t-il d'attitude quand il entend des confessions et quand il cause avec ses confrères? Une infirmière est-elle différente au chevet des malades de ce qu'elle est à la pause-café avec ses collègues? Si la réponse à ces questions est positive, il y a toute probabilité que chacun de ces aidants n'est pas complètement authentique dans son rapport d'aide et que, jusqu'à un certain point, il **joue le rôle d'aidant** plus qu'il n'**est** un aidant.

C'est ici encore une fois qu'on peut constater combien, dans le contact d'aide, l'aidant peut aider, non pas tellement par ce qu'il **fait** et **dit,** mais bien plutôt parce qu'il **est.** On voit aussi combien le travail d'aide est exigeant pour l'aidant. C'est de tout son être qu'il doit être aidant, et non pas seulement de façon superficielle et occasionnelle. Etre un aidant implique, pour la plupart de nous, une transformation profonde de notre être, une sortie de nous-mêmes, rendue possible par une acceptation très profonde de notre être et donc une solide sécurité intérieure, une compréhension intime de ce que nous sommes, résultant d'une patiente attention à notre monde intérieur, un dépassement de nos peurs, un abandon de nos fausses sécurités reposant sur la façade que les peurs édifient entre nous et les autres. On dira que cela est bien exigeant et que peu nombreux doivent être les vrais aidants. Que cela soit exigeant, reconnaissons-le sans hésiter, mais ces exigences sont le prix qu'il nous faut payer pour notre propre liberté intérieure. Cette liberté intérieure, à son tour, est ce qui permet à l'aidant de créer pour son aidé les conditions qui permettent à ce dernier d'accéder à sa propre libération. Nul ne donne ce qu'il ne possède pas lui-même; un aidant prisonnier de lui-même et de ses craintes ne pourra jamais accompagner un autre être humain sur le chemin de la liberté à moins de s'être lui-même libéré.

Quant au petit nombre de véritables aidants, il ne nous appartient pas de trancher la question. Mais il semble bien qu'il soit plus considérable qu'on ne le croit ordinairement, encore qu'il ne faille évidemment pas croire que parce qu'une personne porte un titre d'aidant, que ce soit psychiatre, psychologue, conseiller social, médecin, prêtre, etc., cela suffise à faire de lui un aidant vraiment compétent, c'est-à-dire un être libéré, en possession de lui-même, étant en voie d'actualiser sans cesse davantage ses potentialités intimes. Ces êtres existent; ils ne sont pas nécessairement engagés dans les professions aidantes; ils sont peut-être menuisiers, maçons, comptables, mères de famille, débardeurs ou barman. Peu importe: c'est la qualité d'être qui compte, non pas le titre ou le nombre de diplômes.

Revenant maintenant au commentaire de cette troisième échelle, nous constatons qu'au niveau minimum, (niveau 3), l'aidant ne s'engage pas encore beaucoup lui-même. Au moins, il ne ment pas. S'il ne révèle pas à l'aidé beaucoup de son monde intérieur, au moins ce qu'il lui livre correspond exactement à des parties de ce monde. L'aidant ne prend pas l'initiative de livrer son monde intérieur; il ne le fait qu'en réponse aux demandes de l'aidé. C'est en arrivant aux niveaux 4 et 5 que l'on se trouve en présence d'un aidant beaucoup plus libéré, capable de se mouvoir à l'aise dans son monde intime et d'être ouvert à toutes sortes d'expériences intérieures, quelle que soit leur valence émotive.

L'authenticité requiert donc que l'aidant soit une vraie personne dans la relation, sans se réfugier dans un rôle tout fait, et qu'il serve ainsi de modèle à son aidé. Le but de toute relation d'aide, on s'en souvient, réside en un accroissement de liberté pour l'aidé, vers une plus grande capacité d'être lui-même. Il est très douteux qu'un aidé, mis en contact avec un aidant défensif et inauthentique, puisse jamais y parvenir.

Les obstacles à l'authenticité

Les principaux obstacles à l'authenticité de l'aidant sont faciles à décrire. La plupart du temps, nous mentons, ou du moins, nous restreignons la révélation de nous-mêmes parce que nous avons peur de l'autre ou de nous-mêmes. Quand l'aidant arrive à se libérer progressivement de sa peur de lui-même et parvient à s'accepter le plus complètement possible lui-même, il arrive également à ne plus redouter l'autre et, en conséquence, à pouvoir être le plus totalement possible lui-même dans la relation, sans défenses anxieuses et sans éprouver le besoin de se réfugier dans un rôle, que ce rôle soit celui de parent, d'aumônier, de patron, de supérieur, d'expert.

Disons tout de suite que la capacité de l'aidant d'accéder à ces niveaux élevés d'authenticité est conditionnée par deux séries de facteurs. La première série concerne sa propre ouverture à lui-même et son aise plus ou moins grande à s'explorer avec un minimum de craintes. En supposant que ces conditions personnelles soient réalisées, l'aidant demeurera encore soumis, dans l'expression de son authenticité, à la situation psychologique de l'aidé. Il en va pour l'authenticité comme pour la compréhension empathique et le respect chaleureux. L'expression de chacune de ces attitudes est toujours conditionnée par le degré d'évolution auquel est parvenu l'aidé. Ainsi, il serait délétère pour un aidant de manifester de hauts niveaux d'authenticité alors que son aidé en est encore aux tout premiers pas dans la conquête de sa propre vérité. C'est l'aidé qu'il s'agit d'aider dans une relation d'aide, et non l'aidant, quoique ce dernier puisse en retirer personnellement un grand bénéfice. Durant la phase initiale, alors que l'aidé est souvent lui-même très inauthentique, il sera préférable pour l'aidant de ne pas dépasser le niveau minimum (niveau 3). Ce n'est que quand la relation sera plus solidement établie qu'il pourra offrir à son aidé des niveaux plus approfondis de cette attitude. Mais il est important qu'il puisse les offrir quand le temps sera venu. Il est dommage de constater que de nombreuses relations d'aide, qui auraient pu aller très loin et apporter une aide très approfondie à l'aidé, s'interrompent parce que l'aidant manque de l'audace nécessaire et refuse de s'engager profondément dans une relation non-exploitante avec l'autre. Parfois, l'aidant prend alors l'initiative d'interrompre la relation, affirmant à l'aidé qu'il ne peut en faire plus, ou bien, devant les réticences de l'aidant à s'engager plus profondément malgré les demandes de l'aidé, la relation se met à tourner en rond et ne tarde pas à s'interrompre, l'aidé sentant que son aidant refuse de l'accompagner sur la route de la vérité totale. Le degré de liberté de l'aidé dépasse souvent à ce moment celui de l'aidant et la relation pourrait s'inverser, mais à cause de l'attitude défensive de l'aidant, l'aidé ne tarde pas à aller chercher ailleurs cette profondeur dans la vérité que son aidant se refuse à lui offrir.

Dans les situations les plus constructives, la relation, initialement à sens unique, de l'aidé vers l'aidant, se transforme progressivement en une relation à double sens et il devient, pour un observateur externe, de plus en plus difficile de distinguer l'aidant de l'aidé. Nous nous trouvons alors en présence de deux êtres profondément autonomes, s'apportant l'un à l'autre un approfondissement sans cesse croissant de vérité et de liberté. C'est là, sans doute, le sommet de la relation entre deux êtres humains, totalement ouverts l'un à l'autre. Très exigeante, cette relation est aussi profondément comblante, source d'épanouissement et d'approfondissement illimités.

Un aidant ne pourra sans doute pas, faute de temps et de capacité psychologique, en arriver à des relations aussi approfondies avec un grand nombre de ses aidés. Mais si l'occasion se présente, qu'il ose s'engager malgré ses craintes, pour pouvoir découvrir la joie immense de partager son être intégralement avec un autre.

LA PRECISION ET LA SPECIFICITE DE L'EXPRESSION

L'attitude de l'aidant que nous examinons maintenant se rapporte à la clarté, la précision et la spécificité de ses communications verbales. On peut en décrire les cinq niveaux comme suit:

Précision et spécificité

Niveau 1

La première personne laisse **tout échange** avec la seconde personne ne traiter que de vagues et anonymes généralités.

La première et la seconde personne échangent de tout à un niveau abstrait et hautement cérébral. En somme, la première personne ne fait aucun effort pour orienter l'échange vers les situations et les sentiments spécifiques.

Niveau 2

La première personne laisse **fréquemment** les sujets concernant la seconde personne, être traités à un niveau vague et abstrait. La première et la seconde personne peuvent échanger sur les « vrais » sentiments, mais elles le font à un niveau abstrait et cérébral. En somme, la première personne n'amène pas l'échange sur les sentiments et les expériences de la seconde personne à se faire en termes spécifiques et concrets.

Niveau 3

La première personne **permet parfois** à la seconde personne de discuter des contenus personnels en termes spécifiques et concrets. La première personne permet à l'échange avec la seconde personne de se centrer directement sur la plupart des choses qui sont importantes pour la seconde; cependant, il reste des domaines qui ne sont pas abordés concrètement et d'autres que la seconde personne ne développe pas de façon spécifique.

Le niveau 3 constitue le niveau minimum pour une relation interpersonnelle d'aide.

Niveau 4

L'aidant **aide souvent** la seconde personne à explorer en termes concrets et spécifiques, presque toutes les questions qui intéressent la seconde personne.

L'aidant réussit souvent à orienter l'échange vers l'exploration des sentiments et expériences spécifiques.

Niveau 5

L'aidant **aide toujours** à orienter l'échange, de telle sorte que la seconde personne puisse discuter couramment, directement et complètement ses sentiments et expériences spécifiques.

L'aidant oriente la seconde personne vers la discussion de sentiments, situations et événements spécifiques, quel que soit leur contenu émotif.

Pour comprendre l'importance de cette attitude, il faut se souvenir de l'état psychologique dans lequel se trouve ordinairement l'aidé au moment où il vient demander de l'aide. Cet état est, la plupart du temps, caractérisé par la confusion, l'obscurité, l'incapacité relative de se saisir clairement et d'arriver à intégrer des sentiments opposés. Beaucoup d'aidés abordent la relation d'aide dans un état d'anxiété et de crainte, état qui vient troubler leur capacité de penser nettement et clairement. Il est fréquent que des aspects fondamentaux des problèmes qui assaillent l'aidé soient obscurcis par une masse de détails plus ou moins disjoints. D'autres aidés se sentent vaguement mal à l'aise; ils n'arrivent pas facilement à clarifier la nature des émotions qui les habitent. Ils se « sentent mal », sans plus de précision.

L'objectif de la relation d'aide étant de permettre à l'aidé d'accéder à une plus grande liberté, c'est-à-dire une capacité accrue de s'accomplir dans sa ligne de son être propre, il semble évident que cet objectif ne pourra être atteint tant que les obstacles à cette liberté, ainsi que les facteurs positifs de la personnalité de l'aidé (dont l'épanouissement lui permettra de l'atteindre), ne seront pas clairement identifiés. Il est donc important, dès le début de la relation, que l'aidant aide l'aidé à arriver à une connaissance de plus en plus précise et concrète de lui-même. Seule cette précision permet à l'aidé et l'aidant d'opérer d'abord une exploration approfondie du monde de l'aidé, puis, dans une deuxième phase, de conjuguer leurs efforts pour en arriver à inventer les solutions appropriées aux problèmes de l'aidé.

Il est malheureusement fréquent qu'un aidé plongé dans le vague et la confusion fasse appel à un aidant qui, lui non plus, n'arrive pas à penser clairement ni à s'exprimer de façon nette et concrète. L'échange devient alors souvent une discussion abstraite et générale, parfois hautement intellectuelle, mais qui laisse intacts les problèmes réels de l'aidé. La liberté de l'aidé ne se joue pas uniquement au niveau des principes abstraits, mais encore plus au niveau du quotidien de son action. Ce n'est évidemment pas en parlant en général de liberté qu'on devient libre, mais bien en cernant avec clarté les obstacles concrets à cette liberté et en arrivant à les éliminer graduellement.

Ici encore, mesurons la distance qui sépare une communication amicale entre deux personnes, d'une authentique relation aidante. L'aidé n'a souvent que trop tendance à se cantonner dans une description vague et générale de lui-même, sentant bien, quoique inconsciemment, qu'une connaissance précise et nette de son monde risque de l'amener à constater la présence en lui-même d'éléments déplaisants dont il devrait se reconnaître responsable.

L'aidant aidera l'aidé à être précis et spécifique tout d'abord en lui servant de modèle sur ce point. On ne peut guère espérer qu'un aidé confus apprenne à se comprendre clairement au contact d'un aidant vague et abstrait. Encore ici, nul ne peut transmettre ce qu'il ne possède pas déjà lui-même. L'aidant doit pouvoir se présenter à l'aidé comme une personne qui est capable de réfléchir en termes concrets et spécifiques, qui n'a pas peur de s'explorer lui-même avec précision, qui est capable de se comprendre, non seulement au niveau des considérations générales et abstraites, mais aussi, et encore plus, dans la trame de son agir quotidien.

L'usage des questions

Pour amener son aidé à s'explorer lui-même avec plus de netteté, il pourra être utile pour l'aidant d'utiliser avec mesure la forme interrogative de communication. Avant d'aller plus loin, disons tout de suite qu'il semble que nombre d'aidants abusent des questions et soumettent parfois leurs aidés à un véritable barrage d'interrogations. Surtout au début de la relation, ceci a souvent pour effet de retirer à l'aidé l'initiative de la communication, d'augmenter sa dépendance de l'aidant et de retarder d'autant son accession à l'autonomie. L'usage exagéré des questions peut aussi donner au contact d'aide une saveur vaguement policière. Que l'aidant ne se hâte pas, par des questions intempestives, de démasquer prématurément des régions du monde intérieur de son aidé où celui-ci sent une forte répugnance à s'engager. Il peut ainsi mettre son aidé sur la défensive et perdre ensuite beaucoup de temps à réparer les dommages que sa maladresse ou sa hâte lui ont fait causer.

L'usage exagéré de l'investigation, surtout si elle porte sur les faits dits « objectifs » plus que sur les sentiments et le monde subjectif de l'aidé, peut aussi porter ce dernier à croire qu'il lui suffira d'exposer les faits en répondant aux questions de l'aidant, pour que celui-ci en arrive à énoncer un diagnostic et à formuler une « ordonnance psychologique ». Beaucoup d'aidés abordent le contact d'aide en s'attendant à ce que leur aidant agisse avec eux comme un médecin le fait, transportant dans la relation d'aide ce qu'on pourrait appeler le « modèle médical ». Dans le modèle médical, la seule initiative que prenne le patient est d'exposer ses malaises au médecin. C'est le médecin qui conduit l'examen, prescrit les analyses et en arrive au diagnostic. Le rôle du bon patient est passif: il consiste à répondre exactement aux questions de son médecin et à se prêter aux analyses. Quand le médecin aura découvert la cause du mal, le traitement relèvera encore de lui, qu'il soit médical ou chirurgical. Encore une fois, le **patient**, comme le terme l'exprime, est passif. Il est celui **à qui** on fait des choses.

Il en va tout autrement dans la relation d'aide. Ici, ce n'est plus le patient qui collabore avec le médecin, mais l'aidant qui apporte son aide à l'aidé, celui-ci demeurant l'agent principal de son changement personnel et de la solution de ses problèmes. Il est donc important que l'aidant ne retire en aucune manière à l'aidé l'initiative de sa démarche et ne favorise pas chez lui le développement d'une passivité que l'aidé n'a peut-être que trop tendance à conserver.

Compte tenu de ces restrictions, il reste qu'un emploi judicieux de la forme interrogative peut aider l'aidé à se mieux comprendre lui-même.

Pour être profitables à l'aidé, les questions de l'aidant devront être formulées à partir du monde de l'aidé. On retrouve ici le principe fondamental de la centration de l'aidant sur l'aidé, énoncé plus haut. Le but de la question étant d'aider l'aidé à mieux se comprendre lui-même, l'aidant digne de ce nom ne posera pas de questions dont l'unique objectif soit d'enrichir son expérience et sa connaissance de l'être humain. La relation d'aide, redisons-le, est destinée à aider l'aidé, et non d'abord l'aidant.

L'aidant aura aussi avantage à poser ses questions de façon ouverte plutôt que fermée. La question fermée est celle à laquelle l'interrogé peut répondre de façon brève, souvent par un « oui », un « non », un « peut-être »: « Aimez-vous votre travail? » — « Oui ». —

« Croyez-vous que vous parviendrez à le faire? » « Non ». — « Voulez-vous vraiment aller à Québec? » « Oui ».

Ce genre de questions met sur les épaules de l'aidant l'obligation de les inventer rapidement et donne à tout l'échange un aspect cahoteux, l'information n'étant obtenue que de peine et misère. La manière même dont la question est formulée emprisonne l'interrogé dans les schèmes de l'interrogateur.

La question ouverte est formulée de façon à permettre à l'interrogé de conserver l'initiative de sa manière de répondre et de développer sa réponse à sa manière:

« Qu'en est-il de votre travail? »
« Devant cet objectif, que pensez-vous faire? »
« Comment vous sentez-vous devant la perspective d'aller à Québec? »

Ce genre de questions produit en général plus d'information et donne davantage l'occasion à l'aidé de s'exprimer à sa manière et donc d'arriver à mieux se comprendre.

L'aidant évitera aussi de poser ces fausses questions qui constituent en fait des insinuations, qui véhiculent la propre opinion de l'aidant et ne conservent en fait de la question que la forme interrogative. Ainsi, ce n'est vraiment pas poser une question pour une mère que de dire à son enfant: « Ne penses-tu pas que tu ferais mieux de faire tes devoirs avant de regarder la télévision? » ou: « Ne penses-tu pas que ce serait le temps d'aller te faire couper les cheveux? » Que l'aidant dise donc clairement ce qu'il pense, s'il croit que cela puisse aider son aidé, plutôt que de se défiler derrière la forme interrogative: « Je pense qu'il vaut mieux que tu fasses tes devoirs maintenant et que tu regardes la télévision ensuite. » « Je veux que tu ailles te faire couper les cheveux. » S'il veut vraiment poser une question, qu'il le fasse de façon neutre, en ne transmettant pas, plus ou moins subtilement, à son interlocuteur la sorte de réponse qu'il souhaite entendre: « Qu'est-ce que tu choisis: faire tes devoirs maintenant ou regarder la télévision? » « Quand veux-tu aller te faire couper les cheveux? »

Résumons cette réflexion sur la précision et la spécificité de l'expression de l'aidant en disant qu'il aura avantage à s'exprimer de façon

claire	plutôt que confuse
précise	plutôt que vague
concrète	plutôt qu'abstraite

spécifique   plutôt que générale
personnelle plutôt qu'anonyme
et aussi, somme toute, de façon brève plutôt que longue et souvent embrouillée. Beaucoup d'aidants parlent trop, se lancent dans des élaborations complexes auxquelles leur aidé ne comprend souvent que peu de chose, absorbé qu'il est par ses propres problèmes. Un bon aidant écoute beaucoup plus qu'il ne parle, mais quand il parle, ses paroles apportent à l'aidé une compréhension plus nette et plus claire de lui-même.

LA CONFRONTATION

Nous abordons maintenant l'étude d'une attitude de l'aidant que certains lecteurs s'étonneront peut-être de trouver citée au nombre des attitudes fondamentales de l'aidant au cours de la relation d'aide. Avec l'examen de cette attitude, nous passons à l'analyse des attitudes **actives** de l'aidant, ou, plus spécifiquement, des attitudes dont il prend l'initiative, en correspondance sans doute avec les besoins de son aidé, mais sans y avoir été directement invité par ce dernier. Alors que les attitudes d'empathie, de respect chaleureux, d'authenticité et de précision, au moins à leurs niveaux moyens (niveau 3), sont avant tout des attitudes **réactives** de l'aidant, dans lesquelles il **réagit** aux communications de son aidé, la confrontation que nous abordons maintenant, et l'immédiateté, que nous analyserons ensuite, sont, même aux niveaux minimum (niveau 3), des attitudes par lesquelles l'aidant **précède** son aidé, dans lesquelles il s'engage de sa propre initiative.

Les cinq niveaux de l'attitude de confrontation peuvent se décrire comme suit:

La confrontation

Niveau 1

Les émissions verbales et non-verbales de la première personne **ne tiennent pas compte** des contradictions dans le comportement de la seconde personne (v.g. moi idéal vs moi réel; comprendre vs agir). La première personne ne tient pas compte des contradictions chez la seconde personne, en les acceptant passivement.

Niveau 2

Les émissions verbales et non-verbales de la première personne **ne tiennent que très peu compte des contradictions** dans le comportement de la seconde personne.

La première personne, sans toutefois accepter explicitement les contradictions, choisit de les passer presque toutes sous silence.

Niveau 3

Les émissions verbales et non-verbales de la première personne, tout en tenant compte des contradictions dans le comportement de la deuxième personne, **ne se portent pas directement sur ces contradictions.** La première personne peut simplement attirer l'attention de la deuxième sur les contradictions. Le niveau 3 constitue le niveau minimum pour une relation interpersonnelle d'aide.

Niveau 4

Les émissions verbales et non-verbales de l'aidant **se portent directement et spécifiquement sur** les contradictions dans le comportement de l'aidé. L'aidant confronte l'aidé, directement et explicitement, avec les contradictions dans son comportement.

Niveau 5

Les émissions verbales et non-verbales de l'aidant **se portent continuellement et très sensiblement** sur les contradictions dans le comportement de l'aidé.

La lecture de l'échelle nous donne déjà une idée de ce que comporte la confrontation. Comme on peut le voir, il s'agit de l'attitude de l'aidant qui, plus ou moins explicitement et directement selon les niveaux, dénonce les contradictions que l'aidé s'efforce encore de concilier dans sa vie et qui sont d'ailleurs, la plupart du temps, à la source de ses problèmes.

Ces contradictions peuvent être multiples et de genres divers. Quelques exemples aideront à mieux saisir ce dont il s'agit. Il peut, par exemple, exister une contradiction entre ce que l'aidé dit qu'il **sent** et **vit** et ce qu'il **fait** en pratique. Ainsi, une personne déclare être tout à fait désireuse de s'expatrier pour un an afin de parfaire sa formation universitaire; elle dit ressentir de l'enthousiasme à la pensée de ce perfectionnement, avoir dépassé ses craintes initiales mais, d'autre part, l'aidant constate qu'elle n'arrive pas à prendre les mesures concrètes qui sont reliées au départ: par exemple, demander un congé sabbatique à son employeur, se procurer son passeport, etc. Il est clair qu'il y a là une contradiction entre le **dire** et **l'agir** et donc, une occasion pour l'aidant de dénoncer cette contradiction et d'y confronter l'aidé.

Il se peut également qu'existe une contradiction entre ce que l'aidé déclare que son aidant pense de lui et ce que l'aidant pense en fait. Ainsi, l'aidé peut déclarer être convaincu que son aidant le rejette et ne songe qu'à l'exploiter, alors que l'aidant, pour son compte, ne songe à rien de tel et est authentiquement dévoué au mieux-être de son aidé. Il y aura encore là occasion de souligner la contradiction et donc de confronter les imaginations de l'aidé avec la réalité.

La confrontation déclenche habituellement une crise dans le rapport interpersonnel et comporte, à ce titre, une part de risque. Elle est donc une attitude dont l'aidant réservera l'expression à la phase d'approfondissement et de collaboration du contact d'aide, et qu'il serait pour lui inapproprié et dangereux d'utiliser pendant la phase initiale, tant que son rapport avec son aidé n'a pas commencé à s'affermir. Malgré le risque que comporte la confrontation, l'aidant se doit cependant de confronter; il le fait parce qu'il est profondément engagé envers son aidé et qu'il est persuadé qu'il ne pourra jamais arriver à une authentique liberté à moins de s'être, souvent douloureusement, confronté à lui-même. Les crises que provoque la confrontation, quelque pénibles qu'elles puissent être pour l'aidé et pour l'aidant, doivent être considérées comme des occasions de croissance et de progrès pour l'aidé. Si l'aidé et l'aidant ensemble parviennent à dépasser la crise, l'aidé devient plus capable de se connaître lui-même. Bien sûr, toute crise même minime, provoquée par la confrontation, accule l'aidé à choisir entre la vie et la mort et, à la suite de la crise, quelque chose sera mort en lui: une illusion, un mensonge, une crainte, une aliénation. Mais cette mort conduit à la vie de son vrai moi, à sa prise de possession de lui-même, à l'édification graduelle de son propre devenir. Progressivement débarrassé de ses fausses protections, de ses défenses encombrantes, l'aidé se retrouve de plus en plus nu, mais aussi de plus en plus libre. Un grand nombre d'aidés, au début du contact d'aide, font penser à ces chevaliers du Moyen-Age, casqués, gantés, bardés de fer, impénétrables aux flèches de l'ennemi. Tout va bien tant que le chevalier n'est pas désarçonné par un adversaire plus puissant, ou tout simplement, parce que sa monture, écrasée sous tant de poids, a buté et l'a jeté par terre. L'armure du chevalier, si commode pour le garantir des coups, devient alors pour lui une prison qui l'empêche de se relever. Affaissé sous ses défenses, il reste impuissant, immobile, ou tout au plus rampant péniblement et s'épuisant à traîner sa carapace.

A la faveur de l'atmosphère non-menaçante de la relation d'aide, l'aidé en vient graduellement à se délivrer de sa carapace encombrante, mais il est des pièces de l'armure, celles qui protègent ses parties les plus sensibles, auxquelles il s'attache fébrilement et dont il n'arrive pas à trouver le courage de se libérer. Parfois même, il prétend les avoir rejetées, alors qu'il est clair pour son aidant qu'il s'en protège encore. La confrontation consistera précisément pour l'aidant à pointer du doigt ces restes de carapace ou même, dans la mesure où sa relation avec son aidé est solide, à les arracher, sans brutalité toutefois, mais avec la force que requiert la solidité de l'armure.

Pourquoi tant d'aidants répugnent-ils à confronter leurs aidés et trouvent-ils toutes sortes de raisons pour éviter de le faire? Vraisemblablement pour une double série de raisons. La première série concerne la conception qu'on se fait du contact d'aide. Si on le conçoit comme un rapport poli et distingué, dans lequel aidant et aidé échangent des concepts dans une atmosphère de salon, il est clair que la confrontation apparaîtra comme une manœuvre de mauvais goût qui vient gâter la belle harmonie du rapport d'aide.

Mais si on se représente le contact d'aide comme un combat dans lequel s'affrontent les forces de vie et de mort à l'œuvre chez l'aidé, dans lequel l'aidant se présente comme l'ennemi juré et tenace des forces de mort et l'allié également fidèle et tenace des forces de vie, alors la confrontation apparaîtra comme un comportement indispensable de l'aidant. Un contact d'aide n'est pas forcément un contact poli et distingué; la vie et la mort se préoccupent assez peu des bonnes manières et de l'étiquette. Le médecin face à un arrêt cardiaque n'hésitera pas à défoncer à coups de poing la poitrine de son patient dans l'espoir de ranimer son cœur hésitant.

La deuxième série de raisons se rapporte à la crainte que peut ressentir l'aidant de se faire lui-même confronter par son aidé s'il s'aventure à le confronter le premier. C'est l'histoire bien connue du père qui dit à son fils de 19 ans: « A ton âge, Napoléon était déjà général », et auquel son fils répond: « A ton âge, Napoléon avait conquis la moitié de l'Europe. » Dans la mesure où l'aidant sent le besoin de se protéger et de se défendre dans son contact avec son aidé, dans cette mesure même il hésitera à le confronter directement.

La confrontation implique donc une triple série de risques: risque de voir se détériorer temporairement l'harmonie, plus ou moins factice, de la relation, risque pour l'aidant de devenir la cible de l'agressivité des forces de mort à l'œuvre chez l'aidé, risque pour l'aidant de se voir lui-même confronté par son aidé et de se voir contraint d'abandonner ses propres défenses.

D'où l'on saisit l'importance, pour l'aidant qui se veut vraiment efficace, de se confronter lui-même, avec lucidité et fermeté, de nommer ses peurs et de les surmonter, de connaître ses carences et de s'efforcer d'y remédier, d'être conscient de ses forces et de travailler à les épanouir. Encore là, on dira que cela est bien exigeant pour l'aidant, mais n'est-ce pas là ce qu'il demande précisément à son aidé de faire? Et ne serait-il pas tout simplement légitime qu'il se soit lui-même engagé sur la route où il prétend accompagner et même précéder son aidé?

Sans confrontation, le contact d'aide risque fort de s'enliser dans une discussion stérile, l'aidé poursuivant sans cesse une compréhension toujours plus approfondie de lui-même et entretenant l'illusion que, quand il se sera vraiment compris, il sera sauvé. Cette illusion, que malheureusement bon nombre d'aidants entretiennent eux-mêmes, ne conduit qu'à la stagnation, à la désintégration progressive de l'aidé et enfin, dans les situations les pires, à sa mort psychologique. Seule l'action, orientée par la compréhension de soi est porteuse de vie. La compréhension est sans doute indispensable, pour donner à l'action son orientation et sa force, mais en dernière analyse, ce n'est que quand l'aidant amène l'aidé à modifier son agir que le salut psychologique se lève pour lui. Que sert à un aidé de comprendre profondément qu'il est terrorisé par les personnes qui lui paraissent supérieures, que lui sert de connaître les causes prochaines et lointaines de cette attitude, que lui sert de comprendre exactement les mécanismes qui déclenchent sa peur si, à partir de toute cette compréhension, il n'en arrive jamais, avec l'aide de son aidant, à s'affirmer devant ces personnes et à vaincre sa peur dans l'action? On peut être malheureux et inefficace sans comprendre pourquoi et comment on l'est; et on peut être malheureux et inefficace en comprenant profondément pourquoi et comment on l'est, mais on n'est jamais encore que malheureux et inefficace, bien que conscient. Ce n'est que par l'agir que l'aidé peut en arriver à changer son malheur en bonheur, son inefficacité en efficacité, son esclavage en liberté.

Il ne faudrait pas non plus penser que la confrontation est une attitude réservée aux aidants professionnels et inutilisable par tous ceux qui sont placés, de gré ou de force, dans la position d'aidant. Un père ou une mère de famille qui ne confrontent jamais leurs enfants, des époux qui n'ont pas assez confiance en eux-mêmes et l'un dans l'autre pour démasquer l'un pour l'autre leurs contradictions, un prêtre ou un ministre du culte qui recule toujours devant la dénonciation des incohérences présentes chez ses consultants, ne sont pas des aidants aussi efficaces qu'ils pourraient l'être.

Qu'on ne s'y trompe pas, la confrontation n'a rien à voir avec l'agressivité; ce n'est pas parce que l'aidant est excédé par l'aidé qu'il en vient à le confronter. La confrontation n'est pas une **réaction** à l'aidé, mais bien une **initiative** propre de l'aidant, basée sur sa compréhension précise, son respect profond et son authenticité sans défaillance à l'égard de son aidé. C'est une attitude qui surgit, non de l'hostilité de l'aidant, mais de son courage et de son engagement vis-à-vis de l'aidé. Quand l'aidé est venu demander à l'aidant de l'aider, il a noué avec lui un contrat implicite par lequel l'aidant s'est engagé à faire tout en son pouvoir pour favoriser son accession à la liberté. La plupart des aidés ne prévoient pas jusqu'où va les mener le contrat que conclut avec eux leur aidant, et peut-être, à certains moments du contact d'aide, maudiront-ils la déplorable décision qu'ils ont prise alors. Peut-être menaceront-ils leur aidant de rompre le contact, de se détruire eux-mêmes, de ternir sa réputation en refusant de changer. Autant de manœuvres du vieux moi, destinées à intimider l'aidant et à l'amener à pactiser avec les forces de destruction. L'aidant, conscient de ces manœuvres, ne se laissera pas indûment impressionner et continuera, avec fermeté et constance, à combattre sans relâche les forces négatives et à épauler les forces de croissance et de vie.

L'IMMEDIATETE

Avec l'examen de l'attitude de l'immédiateté, nous abordons la dernière partie de nos réflexions sur les conditions fondamentales de la relation aidante.

L'immédiateté peut se définir comme cette attitude de l'aidant par laquelle ce dernier vit intensément le moment présent de sa relation avec son aidé et n'hésite pas à reformuler en clair la part des communications de son aidé qui semblent être dirigées plus ou moins directement vers lui et vers leur relation réciproque. On peut décrire cette attitude selon les cinq niveaux habituels:

L'immédiateté

Niveau 1

Les émissions verbales et non-verbales de la première personne **ne tiennent compte** ni du contenu ni de la charge émotive des émissions de la seconde personne qui pourraient se rapporter à la première personne. La première personne ignore tout simplement toutes les émissions de la seconde personne qui pourraient se rapporter à la relation entre elles.

Niveau 2

Les émissions verbales et non-verbales de la première personne **ne tiennent pas compte de la plupart** des émissions de la seconde personne qui pourraient se rapporter à la première personne.

Niveau 3

Les émissions verbales et non-verbales de la première personne, tout en étant interprétables dans le sens de l'immédiateté, ne font pas le lien entre ce que la deuxième personne émet et ce qui se passe **à ce moment-là** entre la première et la seconde personne.

Le niveau 3 constitue le niveau minimum pour une relation interpersonnelle d'aide.

Niveau 4

Les émissions verbales et non-verbales de l'aidant **semblent faire prudemment un lien direct** entre les émissions de l'aidé et la relation aidant-aidé. L'aidant tente de relier les émissions de l'aidé à lui-même, mais il le fait de façon hésitante.

Niveau 5

Les émissions verbales et non-verbales de l'aidant **font directement le lien** entre les émissions de l'aidé et la relation aidant-aidé. L'aidant n'hésite pas à interpréter directement la relation aidant-aidé.

Quelques exemples aideront à mieux saisir le sens de cette attitude. Supposons qu'un aidé communique à son aidant le malaise qu'il ressent quand il se trouve en présence d'un de ses professeurs à l'université, et que l'aidant saisisse qu'il existe des ressemblances plus ou moins étroites entre ce professeur et lui-même (même statut social, même prestige, etc.). L'aidant peut choisir de passer sous silence cette partie des communications de l'aidé, de faire comme s'il ne l'avait pas entendue (niveau 1). Il peut aussi réagir de façon générale, mais qui ne se rapporte pas à la relation entre l'aidant et l'aidé: « Vous vous trouvez souvent mal à l'aise dans votre rapport avec ce professeur » (niveau 2). Au niveau 3, l'aidant tente prudemment, mais encore bien vaguement, de faire le lien entre ce que l'aidé a communiqué et lui-même: « Il semble que ce soit difficile pour vous d'entrer en contact avec des personnes qui vous semblent posséder plus d'expérience et plus de prestige que vous. » Au-delà du niveau 3, l'aidant sera capable d'interpréter beaucoup plus directement à son aidé ce que ce dernier a communiqué, de **dire en clair** ce que ce dernier a insinué plus ou moins nettement et consciemment: « J'ai l'impression que ce que vous tentez de me dire est que vous éprouvez du malaise dans votre rapport avec moi, actuellement » (niveau 4). « Vous ne vous sentez pas tellement à l'aise avec moi non plus actuellement » (niveau 5).

Prenons un autre exemple. Voici Jean-Pierre, 16 ans, qui revient du collège et raconte avec enthousiasme à son père combien il s'est senti heureux quand son professeur l'a félicité publiquement en classe pour son dernier travail de français. Une interprétation d'immédiateté pour le père pourrait consister à dire quelque chose comme: « Tu es en train de me dire que tu aimerais bien que je te félicite moi aussi, n'est-ce pas? » Comme on le voit, l'immédiateté est une forme, peut-être la plus élevée, de compréhension empathique.

Le principal avantage de cette attitude est de mettre l'aidé en contact avec un aidant qui vit intensément le moment présent, qui en saisit le sens et passe à l'action à partir de cette compréhension. C'est là un modèle d'une manière efficace de vivre que la plupart des aidés ont grandement besoin de rencontrer. En effet l'aidé est souvent incapable de vivre le moment présent, **le seul qui soit à la disposition de tout être humain.** Très souvent, l'aidé vit dans le passé, soit en repassant inlassablement des souvenirs heureux soit en ressassant amèrement ses malheurs anciens. Ou bien, il se projette dans le futur, édifiant des projets optimistes ou, au contraire, prévoyant lugubrement la suite interminable de ses déceptions. Pendant tout ce temps, il laisse s'échapper le moment présent, ne se rendant pas compte que le passé est irrémédiablement passé et que le futur n'existe pas encore. Il en arrive ainsi à éprouver un sentiment de vacuité, dans lequel il sent, avec raison d'ailleurs, que sa vie lui échappe et qu'il n'arrive jamais à ajuster son horloge intérieure au rythme de la réalité.

L'attitude d'immédiateté de la part de l'aidant amène aussi l'aidé à ne pas faire de son rapport avec l'aidant un élément séparé de la vie réelle, une espèce d'oasis dans le désert de la réalité. L'aidé n'a que trop souvent tendance à transformer le contact d'aide en une sorte de halte irréelle, distincte de la vie quotidienne, ce qui lui permet d'ailleurs d'arriver à en neutraliser, au moins en partie, l'impact et la force de changement. Tout se passe comme si l'aidé se disait: « Il y a la vie "réelle", où je tente péniblement de me tirer d'affaire, et il y a mes contacts avec mon aidant, où je puis me reposer et penser à mon passé et faire des plans pour le futur. » Il est clair qu'une telle attitude, présente chez la plupart des aidés, dérobe à la relation d'aide une grande partie de son réalisme et de son efficacité.

Les difficultés que l'aidé rencontre dans sa vie quotidienne affectent, dans la très grande majorité des cas, ses relations interpersonnelles avec son entourage, et ce n'est certainement pas en nouant une relation factice avec son aidant que l'aidé pourra graduellement réapprendre à nouer avec d'autres des relations basées sur la vérité. La relation qui s'établit entre l'aidant et l'aidé doit être le prototype des relations épanouissantes dans lesquelles l'aidé doit parvenir à s'engager dans sa vie quotidienne. Il est donc indispensable qu'éventuellement, l'attention des deux partenaires se porte sur la relation même qui les unit, que l'aidant, par son attitude, aide l'aidé à se débarrasser de ses craintes à l'intérieur de cette relation, qu'il puisse en venir à la vivre, non comme une espèce de hors-d'œuvre, mais comme une partie intégrale de sa vie. Nous voilà loin de certaines conceptions de la relation d'aide comme un échange primordialement rationnel sur les problèmes de l'aidé. Si les relations interpersonnelles de l'aidé avec son entourage se sont détériorées, ce n'est pas seulement en **parlant** de ses difficultés que l'aidé apprendra à en nouer de plus constructives, mais bien en **vivant** une authentique relation avec un être humain vraiment intégré, capable de vivre intensément le moment présent et de lui faire rendre tout son potentiel de vie et de bonheur.

LA RELATION D'AIDE: VUE D'ENSEMBLE

Après avoir considéré séparément chacune des six attitudes de l'aidant qui rendent le contact d'aide vraiment efficace, tentons maintenant de présenter une vue d'ensemble du déroulement de toute la relation et de l'interrelation des diverses attitudes dans ce déroulement. Il est bon de se rappeler qu'en dernière analyse, les attitudes de l'aidant que nous avons décrites sont finalement celles qui caractérisent un être humain bien intégré, épanoui, en route vers l'accomplissement toujours plus complet de ses potentialités, dans un accroissement toujours plus marqué de sa liberté. Nous présupposons que l'aidé, au début du contact d'aide, ne vit pas ces attitudes à un niveau élevé et que l'aide que l'aidant se propose de lui apporter consiste précisément à lui permettre de vivre ces attitudes à des niveaux plus élevés, envers lui-même et envers les autres. En ce sens, il est très vrai de dire que le but de l'aidant est d'aider l'aidé à devenir lui-même un aidant, ce qu'il entend faire à la fois en 1) **enseignant directement** à l'aidé ces diverses attitudes, 2) en lui servant de **modèle** vivant mais surtout, 3) en lui donnant l'occasion de les **expérimenter** dans son contact avec lui.

La Phase Initiale

Au tout début du contact, l'aidé se trouve habituellement dans une situation de confusion et de fausseté. Il est habité par des peurs plus ou moins marquées et se trouve, en quelque sorte, ligoté par elles, empêché de construire une action qui possède une direction et un sens. Parfois, il tourne en rond depuis des années, répétant inlassablement et désespérément le cycle de son action inefficace sans trouver le moyen de s'en échapper, s'enfonçant graduellement dans le vortex qui le mène à la désintégration complète et l'inaction totale que constitue la mort psychologique. Il ne se comprend plus, ne se respecte et ne s'aime que peu, se cache à lui-même ses contradictions internes, se mentant beaucoup à lui-même et aux autres; souvent emprisonné dans ses regrets stériles ou projeté vers des avenirs dont il sent confusément qu'ils sont illusoires, il a le sentiment que sa vie lui coule entre les doigts sans qu'il puisse arriver à s'en saisir.

Devant cette situation, l'aidant offrira d'abord une authenticité au niveau minimum (3). Il se pose ainsi devant l'aidé comme un être qui n'est pas faux, même s'il doit pour l'instant restreindre l'expression totale de son authenticité, par égard pour la situation psychologique fragile de son aidé. Même alors, le contraste sera souvent grand entre l'inauthenticité de l'aidé, par laquelle il se défend de ses peurs, et la calme vérité de l'aidant. Le contraste sera probablement grand aussi aux yeux de l'aidé entre l'attitude de vérité de son aidant et l'attitude plus ou moins fausse qu'il rencontre dans ses contacts interpersonnels ordinaires avec son entourage. L'aidant se pose ainsi aux yeux de l'aidé comme un être vrai, condition indispensable pour que les autres attitudes soient vraiment prises au sérieux par l'aidé. On voit ici combien l'authenticité constitue la pierre d'angle de tout l'édifice de la relation d'aide et comment, en son absence, la relation aidante devient impossible ou se transforme en relation nuisible.

L'aidant offrira aussi à l'aidé la compréhension empathique au niveau minimum (interchangeable, niveau 3), permettant ainsi à l'aidé de se sentir compris au moins autant qu'il se comprend lui-même. Pour la plupart des aidés, ce sera là encore une expérience nouvelle; c'est un fait d'expérience courante que la plupart des êtres humains ne s'écoutent que peu les uns les autres et sont donc relativement incapables de se comprendre réciproquement. L'aidant se gardera d'offrir des niveaux trop approfondis de compréhension empathique, de peur d'effaroucher son aidé et de renforcer ses défenses. Pour ce qui est du respect, l'aidant se trouvera ordinairement incapable de respecter, d'aimer profondément son aidé au début du contact, faute de le connaître encore suffisamment. Il lui transmettra au moins de l'intérêt, de l'estime, créant pour lui une atmosphère où l'aidé se sente de plus en plus capable de se montrer comme il est et de s'explorer lui-même en profondeur. L'aidé, se basant sur son expérience antérieure, redoute la plupart du temps que son aidant ne se serve de ses révélations pour le juger, le blâmer, le ridiculiser. Ce sera pour lui une agréable surprise que de constater que son aidant ne fait rien de tel mais qu'il lui transmet de l'attention et un désir de comprendre, plus qu'une hâte de juger.

Enfin, l'attitude de précision et de spécificité transmise par l'aidant au niveau minimum (niveau 3) viendra ajouter la dernière touche à l'atmosphère initiale créée par l'aidant pour l'aidé. Par cette attitude, l'aidant se trouve à transmettre à l'aidé sa capacité de penser clairement et en termes concrets, et donc de commencer à débrouiller l'écheveau enchevêtré de la vie de l'aidé.

Durant la phase initiale, l'aidant offrira donc des niveaux minimum des quatre attitudes d'authenticité, empathie, respect et spécificité. Trop d'authenticité pourrait effaroucher l'aidé, trop de compréhension pourrait le mettre sur la défensive ou le porter à la passivité, trop de respect serait faux, puisque l'aidant ne connaît pas encore assez l'aidé, trop de spécificité pourrait restreindre prématurément le champ d'exploration de l'aidé. L'objectif de toute cette phase est de permettre à l'aidé de commencer à descendre en lui-même, de commencer à explorer les pièces de sa maison intérieure, de commencer ainsi à édifier une compréhension de lui-même qui soit la base pour une action efficace dans sa propre vie.

La durée de cette phase est impossible à déterminer dans l'abstrait. Tout dépend de la situation psychologique de l'aidé au début du contact d'aide. Avec un aidé très défensif, emprisonné depuis des années dans le mensonge, l'incompréhension et la haine de lui-même, la phase initiale pourra durer des mois ou même des années, jusqu'à ce que les défenses de l'aidé se relaxent et qu'il commence à sentir le besoin et la capacité de se changer lui-même. Avec d'autres aidés, moins prisonniers de leurs frayeurs, la phase initiale pourra ne durer que quelques minutes, suffisamment pour permettre à l'aidant de constater qu'il est temps pour lui d'offrir des niveaux plus élevés des attitudes fondamentales.

La phase intermédiaire

Comme le nom l'indique, cette phase en est une de transition, d'une phase initiale caractérisée par l'exploration de plus en plus approfondie de lui-même par l'aidé vers une phase où l'aidé va commencer à passer à l'action à partir de sa compréhension accrue de lui-même.

Pendant cette phase, l'aidant sera en mesure d'offrir des niveaux de plus en plus élevés des quatre attitudes d'empathie, respect, authenticité et spécificité.

Sa compréhension de l'aidé se fera de plus en plus aiguë, surtout dans ces domaines où l'aidé semble avoir plus de difficulté à se comprendre lui-même. L'aidé, en effet, possédant déjà une compréhension au moins superficielle de lui-même, est maintenant prêt à s'explorer plus en profondeur, à visiter les pièces de sa maison intérieure dans lesquelles il redoutait auparavant de s'aventurer ou dont il ignorait l'existence même.

En même temps, l'aidant trouve de plus en plus possible d'être pleinement lui-même, dans sa relation avec l'autre. Il pourra opportunément offrir des niveaux plus élevés d'authenticité, se révélant de plus en plus lui-même à son aidé et appelant de la sorte une révélation encore plus approfondie de la part de ce dernier. Il y a influence réciproque entre les attitudes de l'aidant et celles de l'aidé: plus l'aidé devient capable de se révéler tel qu'il est, plus aussi l'aidant se sent libre de se montrer à lui intégralement et plus, en conséquence, l'aidé se trouve invité à poursuivre sa révélation de lui-même à son aidant. Cette révélation de l'aidé permet à son tour à l'aidant de découvrir chez l'autre la justification d'un respect et d'un amour de plus en plus approfondis qu'il pourra maintenant communiquer librement et authentiquement. Toute la communication entre l'aidé et l'aidant sera aussi de plus en plus concrète et spécifique, tout en ne restreignant pas la largeur du champ d'exploration de l'aidé.

Ce sera également le moment pour l'aidant de commencer à offrir des niveaux minimaux des attitudes de confrontation et d'immédiateté. Comme ces deux attitudes provoquent habituellement une crise dans le déroulement de la relation, l'aidant sera bien avisé de ne les introduire que progressivement, sans fausse timidité toutefois, mais en étant toujours prêt à battre temporairement en retraite s'il s'aperçoit que l'aidé n'est pas encore assez affermi pour pouvoir les utiliser constructivement. Il y a ici une question de doigté et de flair psychologique nécessaire chez l'aidant, et que l'expérience et le contact approfondi avec lui-même lui permettront de développer.

La durée de cette phase intermédiaire dépendra encore du fonctionnement psychologique de l'aidé. Il est aussi fort vraisemblable qu'elle ne se déroule pas de façon continue et ordonnée, mais qu'avant qu'elle ne se stabilise, l'aidant et l'aidé retournent un certain nombre de fois à la phase initiale.

La phase avancée

Avec l'accession de l'aidé à la phase avancée de la relation d'aide, l'aidant se verra en mesure d'offrir des niveaux plus élevés des attitudes « actives »: confrontation et immédiateté. Préparé pendant la phase intermédiaire à utiliser constructivement les crises qui résultent de la présentation de ces attitudes, l'aidé devient de plus en plus capable de se confronter lui-même et d'interpréter lui-même la relation entre lui et son aidant. Parce que l'aidé est de plus en plus libéré, l'aidant devient capable de donner libre cours à l'expression totale de son authenticité, aidant ainsi son aidé à accéder à son tour à de hauts niveaux de cette attitude. C'est le moment où les combats terminaux se livrent, et le respect de l'aidant pour l'aidé devient de plus en plus conditionnel, puisque sa compréhension empathique approfondie lui a permis de découvrir les potentialités non-développées de son aidé. La communication, d'unidirectionnelle qu'elle était durant la phase initiale, devient de plus en plus réciproque. Si l'aidant devient de plus en plus exigeant pour l'aidé, ce dernier le devient aussi de plus en plus pour son aidant, requérant de lui une affection non-exploitante profonde, une authenticité totale, une compréhension complète. Quant à la spécificité, elle portera désormais sur la précision des plans d'action qu'aidant et aidé élaborent ensemble en vue de remédier aux difficultés de l'aidé. Une relation d'aide authentique ne s'arrête pas à la compréhension de l'aidé par lui-même, mais doit déboucher sur l'action constructive de l'aidé dans sa propre vie.

A son tour, l'action n'est pas le point terminal du progrès de l'aidé, puisque l'action est elle-même source de nouveaux éléments que l'aidé va devoir pouvoir comprendre.

L'action permet à l'aidé de découvrir de nouveaux aspects de lui-même, auparavant inconnus, et appelle donc un progrès de l'aidé dans sa compréhension de lui-même. Cette nouvelle compréhension mène à une nouvelle action et ainsi de suite. Le progrès de l'aidé se déroule donc comme une spirale, la compréhension débouchant sur l'action et l'action appelant une compréhension nouvelle et encore plus approfondie.

L'aidé sera donc engagé dans une spirale menant à une liberté de plus en plus grande. Alors qu'il s'enfonçait auparavant dans un esclavage de plus en plus étroit, il émerge maintenant vers la possession de ses potentialités, de sa vie, de son autonomie, de son être. Parce que lui-même en voie de libération, il devient capable d'en aider d'autres à se libérer; de prisonnier il devient libre, d'aidé, il devient, à son tour, aidant.

Le tableau suivant résume les phases diverses de la relation d'aide et les niveaux correspondants de chacune des attitudes de l'aidant et de l'aidé.

Les phases de la relation d'aide

	Avant la relation	Pendant la relation — Phase I (exploration) Stage initial	Pendant la relation — Phase I (exploration) Stage intermédiaire	Pendant la relation — Phase II (vers l'action)		Après la relation
Aidant	——————	Empathie 3 Respect 3 Authenticité 3 Spécificité 3	Empathie 3, 4, 5 Respect 3, 4, 5 Authenticité 3, 4, 5 Spécificité 3, 4, 5 Confrontation 3 Immédiateté 3	Empathie 4, 5 Respect 4, 5 Authenticité 4, 5 Spécificité 4, 5 Confrontation 4, 5 Immédiateté 4, 5	Plan d'action pour l'aidé	
Aidé	Auto-compréhension 1, 2 Auto-respect 1, 2 Authenticité 1, 2 Spécificité 1, 2 Auto-confrontation 1, 2 Immédiateté 1, 2	Empathie 3 (auto-compréhension) Respect 3 Authenticité 3 Spécificité 3	Empathie 3, 4, 5 Respect 3, 4, 5 Authenticité 3, 4, 5 Spécificité 3, 4, 5 Auto-confrontation 3 Immédiateté 3	Empathie 4, 5 Respect 4, 5 Authenticité 4, 5 Spécificité 4, 5 Confrontation 4, 5 Immédiateté 4, 5	Action de l'aidé	Toutes attitudes 4, 5 (envers soi et envers les autres) → Action de l'aidé

CHAPITRE 4

Quelques aspects pratiques de la relation d'aide

Dans ce chapitre, nous examinerons brièvement un certain nombre de problèmes concrets qui se posent dans diverses relations aidantes. Nous ferons mention de quelques techniques pratiques, mais sans jamais oublier que ces techniques ne sauraient être utiles si elles ne sont pas l'expression des attitudes fondamentales de l'aidant telles qu'analysées précédemment.

L'accueil

Si le lecteur a déjà été placé dans l'obligation de demander de l'aide à quelqu'un parce qu'il ne se comprenait plus et ne savait plus quelle action entreprendre, il se souviendra de la tension et de l'anxiété avec lesquelles il s'est peut-être présenté à sa première entrevue.

Beaucoup d'aidés ont déjà peu d'estime pour eux-mêmes et l'obligation dans laquelle ils se trouvent de demander de l'aide ne fait qu'augmenter leurs sentiments négatifs à l'égard d'eux-mêmes.

Compte tenu de cet état psychologique, il devient très important pour l'aidant de manifester, dès le début de la relation, l'attitude de respect et d'acceptation qui est fondamentale pour la construction de la relation. Il le fera principalement par la courtoisie et l'attention personnalisée avec laquelle il accueillera son aidé. Il est peut-être bon pour l'aidant d'affirmer à l'aidé qu'il le respecte et l'accepte, mais il est encore meilleur de le manifester par son comportement. La ponctualité de l'aidant, sa disponibilité totale à son aidé, l'atmosphère de calme de l'endroit où il le reçoit, son attention à lui offrir un siège confortable, sa capacité d'utiliser dès le début le nom de son interlocuteur, l'absence d'interruptions intempestives, autant de comportements qui expriment à l'aidé, plus éloquemment que de longs discours, que son aidant le respecte, l'accepte, le perçoit comme une personne digne d'attention et d'estime. Le début de l'entrevue n'est pas le moment pour l'aidant de classer son courrier, de répondre à un dernier téléphone ou de prendre une note rapide. Qu'il fasse toutes ces choses à d'autres moments, hors de la présence de l'aidé.

Le cadre physique

Il est sans doute possible de nouer des relations aidantes très constructives sur le quai d'une gare ou dans le tapage d'une taverne. Dans la mesure du possible toutefois, il vaut mieux que l'aidant reçoive son aidé dans une pièce dont la disposition, l'ameublement, la décoration ne viendront pas augmenter la tension déjà présente chez ce dernier. Un tapis, des meubles sobres mais confortables, un éclairage suffisant sans être aveuglant, un schème de couleurs calmes plutôt que trop contrastées, une porte pleine et bien fermée, des parois suffisamment épaisses pour assurer la discrétion constituent des facteurs susceptibles de favoriser la communication entre les deux partenaires de la relation.

Sauf dans certaines situations particulières, il vaut sans doute mieux que l'aidant ne soit pas assis directement en face de son aidé. Une disposition des sièges selon un angle de 90 degrés permet aux regards de l'aidé de ne pas croiser directement ceux de l'aidant, et donc de ne pas le forcer à éviter un regard qui peut être, au début, perçu par lui comme gênant ou menaçant. Sauf exception, il n'est pas non plus opportun d'utiliser une table ou un bureau pour séparer les interlocuteurs; table ou bureau constituent une barrière inutile entre les participants et servent d'ailleurs plus souvent à protéger l'aidant qu'à rassurer l'aidé.

Un certain nombre d'aidés deviennent très émus pendant un contact d'aide; ils pleurent parfois, les hommes tout comme les femmes. Il semble donc opportun d'avoir à la portée de la main des mouchoirs de papier ainsi qu'une corbeille où l'aidé puisse déposer ces mouchoirs après usage.

Si l'on peut faire en sorte que l'aidé ne rencontre pas d'autres aidés ni trop d'autres personnes, au moins à sa sortie de l'entrevue, on tiendra ainsi compte de l'état émotif, parfois assez perturbé, dans lequel l'aidé quitte le contact avec l'aidant. Sans tomber dans la clandestinité, il est convenable de respecter le désir légitime de discrétion de l'aidé.

Les limites de temps

Beaucoup d'aidants non-professionnels hésitent à fixer des limites précises de temps aux contacts qu'ils ont avec leurs aidés. Sans doute cela leur apparaît-il comme trop contraignant et craignent-ils d'imposer un fardeau de plus à leurs aidés. Cependant, l'aidant qui ne détermine pas d'avance le moment auquel l'entrevue s'interrompra et qui n'en informe pas son aidé s'expose à de sérieux embarras.

En effet, l'aidant n'est pas un surhomme et sa capacité de demeurer attentif à son aidé est soumise à des limites qui font partie de la réalité. Faute de s'exprimer à lui-même ces limites et de les transmettre à son aidé, l'aidant s'expose à les poser de façon arbitraire, interrompant le contact, par exemple, quand il n'en peut plus, ou quand il se trouve ennuyé par l'aidé.

Par ailleurs, en ne communiquant pas d'avance à l'aidé les limites de temps, l'aidant s'expose à voir l'interruption du contact perçue par l'aidé comme un rejet, un refus de l'écouter et de s'intéresser à lui.

Pour toutes ces raisons, il semble bien préférable de déterminer d'avance les limites temporelles de l'entrevue et d'en informer clairement l'aidé. Il n'est pas nécessaire de le faire de façon solennelle et dramatique. A une demande de rendez-vous, l'aidant peut répondre, par exemple: « Bien sûr, venez donc vendredi soir à huit heures; je pourrai vous donner jusqu'à neuf heures. » Ou bien encore, à un aidé qui dit: « J'aimerais bien vous parler un peu », un aidant peut répondre: « D'accord, je serai libre mardi entre deux et trois heures, ou bien mercredi de dix heures à onze heures. »

Une fois ces limites déterminées et transmises à l'aidé, il faut s'y tenir de façon exacte. Que l'aidant soit ponctuel à commencer à temps l'entrevue; s'il arrivait exceptionnellement qu'il soit en retard, qu'il ait la courtoisie de s'en excuser auprès de son aidé. Si un aidant constatait qu'il est souvent en retard pour commencer ses entrevues, il lui faudrait se poser de sérieuses questions quant à son intérêt et son respect réels pour ses aidés.

Il appartient à l'aidant de signifier que la fin de l'entrevue approche. Une petite horloge placée à sa vue mais non à celle de l'aidé lui épargnera d'avoir à consulter ostensiblement sa montre. Sans être rigide, il faut être ferme pour terminer le contact à l'heure prévue; si un aidé tente de manipuler son aidant — c'est souvent à ce moment qu'il tentera de le faire — en se livrant à ce qu'on pourrait appeler les « confidences de la poignée de porte », ces révélations ultimes et urgentes faites debout, la main sur le bouton de la porte. On ne gagne rien à consentir à de pareilles manœuvres; l'aidant doit présenter à l'aidé une image de fermeté et de décision, le modèle d'une personne qui tient ses promesses et ne cède pas à un chantage plus ou moins explicite. Il vaut beaucoup mieux déterminer le temps d'une prochaine entrevue; « les confidences de la poignée de porte » auront souvent perdu beaucoup de leur importance à ce moment.

Les silences et les pleurs

Dans le contact social ordinaire, le silence est, la plupart du temps, intolérable et l'un ou l'autre des participants se hâte d'habitude de l'interrompre. Il en va autrement dans la relation d'aide. Le silence est une forme de communication, et il appartient à l'aidant de tenter d'en comprendre le message et de manifester empathiquement à son aidé qu'il l'a saisi. C'est la responsabilité de l'aidant de savoir si son aidé reste silencieux parce qu'il est **embarrassé** ou parce qu'il **réfléchit**. Dans le premier cas, les signes non-verbaux d'agitation et de détresse qui accompagnent ordinairement le silence d'embarras seront le signal pour l'aidant de ne pas le laisser indûment durer. Il peut être relativement facile pour lui de ranimer la communication verbale, par exemple, en reformulant le contenu subjectif de la dernière expression verbale de l'aidé. L'aidant n'a pas à se hâter d'interrompre le silence et s'il constatait qu'il le fait, il devrait pouvoir s'interroger sur sa propre capacité de faire face à l'anxiété engendrée par le silence.

Quant au silence de réflexion ou d'approfondissement, dans lequel l'aidé se parle à lui-même en choisissant temporairement de ne pas communiquer verbalement avec l'aidant, les signes non-verbaux qui l'accompagnent sont très différents de ceux qui dénotent le silence d'embarras.

C'est souvent pendant ces silences que l'aidé assimile profondément la nouvelle compréhension de lui-même qu'il retire de son contact avec l'aidant.

Il serait donc très maladroit pour ce dernier d'interrompre le silence d'approfondissement. Qu'il le laisse durer, se contentant de demeurer attentif aux signes non-verbaux; un silence d'approfondissement se transforme en effet parfois en silence d'embarras, et seule l'observation attentive du langage non-verbal permettra à l'aidant d'intervenir à temps pour éviter que le silence ne devienne nuisible à la communication.

Ce qu'on a dit des silences s'applique également aux pleurs. Beaucoup d'aidants se sentent mal à l'aise quand leur interlocuteur se met à pleurer, et tentent de faire comme s'ils n'avaient rien vu. Pourtant les pleurs ne sont qu'un autre moyen de communication, au même titre que le langage et le silence. L'attitude de l'aidant en demeurera donc toujours une de compréhension empathique de la communication de son aidé, quelque forme que cette communication revête. Si l'aidé sanglote violemment, il n'y a pas grand-chose à faire sauf à demeurer silencieusement disponible; rien ne sert de parler à ces moments; l'aidé ne peut même pas physiquement entendre. L'aidant sera souvent tenté à ces moments d'offrir sympathie et consolation, mais il sera en général bien avisé de ne pas le faire, continuant plutôt à transmettre sa compréhension respectueuse de l'autre, et si la chose est opportune, en confrontant l'aidé avec la réalité. Il est en effet hors de doute que, si les larmes peuvent constituer une soupape émotive nécessaire, elles peuvent également être utilisées comme un moyen de défense et une tentative de fléchir la calme fermeté de l'aidant. Il faut également réaliser que, de tous les problèmes qui assaillent l'aidé, aucun n'est susceptible de trouver une solution dans les larmes. Selon les phases de la relation, la réaction de l'aidant aux larmes de son aidé ira donc de la simple acceptation silencieuse jusqu'à la confrontation directe.

Les situations d'urgence

Tout aidant se trouve affronté un jour ou l'autre à des situations qui exigent qu'il agisse rapidement et clairement pour le bien de son aidé. Ces situations peuvent aller de l'aidé qui déclare vouloir s'engager dans des actions dont le résultat, aux yeux de son aidant, ne saurait que lui être préjudiciable, jusqu'à l'aidé qui donne des signes plus ou moins clairs de vouloir attenter à sa vie. Il est important que l'aidant se souvienne qu'il n'est pas un prophète et que ce qui lui apparaît comme un manque de jugement et une décision malheureuse de la part de son aidé, peut fort bien tourner ultimement à son bénéfice. L'aidant n'est pas responsable **à la place** de l'aidé, il n'est même pas responsable **de** lui; la seule responsabilité que l'aidant accepte pleinement est celle de ses attitudes et de ses comportements **envers** son aidé.

Devant des décisions de l'aidé qui lui apparaissent malheureuses, l'aidant pourra tenter de l'amener à réfléchir davantage et à peser les conséquences possibles de son action. Mais ultimement, la décision finale, au moins dans le cas d'un adulte, doit résider chez l'aidé. L'aidant devra se garder de transmettre à l'aidé que, s'il prend telle décision avec laquelle l'aidant se trouve en désaccord, le contact entre aidant et aidé sera interrompu. Il se peut que l'aidé déclare vouloir faire telle ou telle chose, avec lesquelles il sait pertinemment que son aidant ne saurait être d'accord, dans le but même de « tester » son aidant, de mettre à l'épreuve sa capacité de respect et d'acceptation. Un aidant attentif ne sera pas dupe de cette manœuvre et confrontera l'aidé avec la réalité.

Les situations de menace de suicide demandent beaucoup de circonspection et ne doivent pas, en général, être prises à la légère. Les études récentes sur le suicide révèlent que presque toutes les victimes donnent de nombreux signes antérieurs de leur volonté d'en finir, signes auxquels leur entourage est trop souvent aveugle. Devant une menace de suicide, l'aidant ne s'affolera pas, mais continuera à transmettre à son aidé compréhension, respect et authenticité. Les situations les plus à craindre sont celles où un aidé est plongé depuis longtemps dans la dépression, ainsi que celles où un aidé a été soumis à un choc émotif violent. Jusqu'à un certain point, l'aidant peut se rendre compte de la gravité de la situation en faisant parler son aidé sur les moyens qu'il entend prendre pour abréger ses jours. Le réalisme ou, au contraire, l'irréalisme de ces moyens constituent des indications précieuses. Il y a une grande différence entre l'aidé qui déclare vouloir en finir en précipitant sa voiture sur un pilier de l'autoroute à 100 à l'heure, moyen très efficace et facilement réalisable, et l'aidé qui envisage de se pendre à une poignée de porte. L'aidant sera plus inquiet de l'infirmière qui affirme froidement qu'elle absorbera une dose mortelle de somnifères, auxquels son travail lui donne facilement accès, que de la dame qui envisage de se noyer dans un ruisseau en plein hiver, alors que ce ruisseau est complètement gelé.

Si la menace apparaît sérieuse, l'aidant n'hésitera pas à intervenir vigoureusement, rompant même au besoin le lien de la discrétion. L'aidé peut avoir besoin, pour un temps, de se trouver dans un milieu où il soit à l'abri de lui-même. Notons que, jusqu'à tout récemment, la tentative de suicide constituait un acte criminel au Canada; une réforme récente du code pénal a fait disparaître cette incohérence. L'aidant pourra donc, au besoin, faire appel aux forces policières sans craindre que son aidé ne se voit accablé d'une action judiciaire. Si l'aidant ne doit pas s'alarmer indûment, il ne doit pas non plus hésiter trop longtemps avant d'intervenir. Le suicide constitue souvent un appel désespéré de la personne; il comporte aussi fréquemment une connotation punitive du suicidé et de son entourage, y compris l'aidant. L'aidant devra parfois payer de sa personne et ne pas hésiter à répondre sans retard, quels que soient le jour ou l'heure, à un appel désespéré. Une fois la crise passée, il importe que l'aidé et l'aidant y reviennent pour en comprendre le sens et en prévenir, si possible, la répétition.

Lettres et appels téléphoniques

Il arrive fréquemment que des aidés choisissent de communiquer par téléphone ou lettres avec leurs aidants pendant le déroulement du contact d'aide. Pour ce qui est des lettres, elles peuvent constituer à la fois un déversoir pour l'aidé et l'occasion pour lui d'approfondir sa compréhension de lui-même. Elles peuvent aussi lui servir de défenses contre l'anxiété entraînée par la verbalisation de contenus émotifs traumatisants. Sauf exception, l'aidant sera bien avisé de ne pas s'engager dans une correspondance suivie avec ses aidés; le temps lui manquerait rapidement et il se verrait bientôt obligé d'écourter ses propres missives, transmettant ainsi possiblement un rejet à l'aidé.

Un des principaux inconvénients de la communication écrite est de priver l'aidant de la perception du langage non-verbal de son aidé et de sa possibilité de réaction immédiate à ses communications. Pour ces raisons, il semble donc ordinairement impossible de faire un travail sérieux et efficace de relation d'aide uniquement par correspondance. Si l'aidé choisit d'écrire à son aidant, libre à lui de le faire, mais que l'aidant l'avertisse d'avance qu'il ne répondra pas et que le matériel exprimé dans les lettres sera exploité lors des contacts interpersonnels. Il sera même parfois utile que l'aidant requière de l'aidé qu'il « dise » ses lettres à haute voix lors de l'entrevue, attaquant ainsi la peur, présente chez bien des aidés, de s'entendre dire certaines choses et prononcer certains mots, et bloquant leur fuite dans l'expression écrite.

Le téléphone, lui aussi, ne permet pas à l'aidant de saisir toute la gamme des expressions non-verbales de son aidé. En général, l'aidant refusera d'entreprendre une relation d'aide qui ne se déroulerait qu'au téléphone. Le contact physique des interlocuteurs et la possibilité pour l'un et l'autre de percevoir leur langage non-verbal sont d'une importance qu'on ne saurait exagérer. Dans certaines situations de crise, le téléphone pourra être un instrument précieux, mais ce genre de communication ne saurait, à lui seul, constituer le véhicule d'un rapport interpersonnel profondément aidant. Il ne s'agit nullement de déprécier ici les services rendus par des organismes tels que « Drogue-secours » et « Tel-Aide », mais de distinguer une intervention en période de crise d'un travail approfondi, supposant ordinairement un contact interpersonnel physique prolongé.

L'élaboration des plans d'action:
Les « devoirs » thérapeutiques

Comme nous l'avons souligné précédemment, une authentique relation d'aide doit déboucher sur l'intervention active de l'aidé dans sa propre vie, sur son action constructive et la modification de ses comportements. L'objectif fondamental de la relation est de permettre à l'aidé d'agir différemment qu'il n'agissait auparavant, puisque sa manière d'agir antérieure a abouti, plus ou moins complètement, à un échec.

Parfois, la compréhension accrue que l'aidé acquiert de lui-même suffira à le porter à modifier son agir, mais l'aidant devra souvent intervenir pour soutenir l'initiative chancelante de l'aidé et collaborer activement avec lui à la construction de plans d'action réalistes, à court, moyen et long terme.

La construction d'un plan d'action se fait de façon ordonnée; en une première étape, aidé et aidant doivent arriver à décrire le plus complètement possible le problème en question en considérant toutes ses facettes, tant objectives que subjectives. Une deuxième étape consistera à envisager les moyens divers qui puissent être utilisés pour régler le problème et à choisir les moyens qui semblent les plus prometteurs. En une troisième étape, il s'agit de fractionner les moyens choisis en leurs parties les plus importantes. Enfin, en une quatrième étape, l'aidé passe à l'action en s'attaquant successivement à chaque partie des moyens à utiliser. Il est très important que le programme soit clair, à la fois pour l'aidé et pour l'aidant, et que son déroulement soit graduel. Un problème énorme et très complexe ne peut guère se régler d'un seul coup; ce n'est que quand on le fractionne et que l'aidé concentre ses énergies successivement sur chaque petite partie qu'un progrès réel devient possible. A mesure que l'aidé parcourt les diverses étapes du programme et commence à remporter des victoires, il se sent encouragé et devient plus capable d'affronter des parties plus difficiles. Il est donc important que les premières étapes soient très faciles pour l'aidé et qu'il soit presque certain qu'il va pouvoir y remporter des succès.

La construction des plans d'action doit évidemment tenir compte du temps dont l'aidé et l'aidant disposent pour la relation d'aide. Dans un contact prolongé, il est possible pour l'aidant et l'aidé d'élaborer un programme détaillé et de procéder graduellement à le réaliser. L'aidé apprendra ainsi non seulement à régler son ou ses problèmes actuels, mais encore il apprendra une manière de régler les problèmes en général, qu'il pourra utiliser pour tous les autres problèmes qui pourront se présenter à lui au cours de son existence. Si le temps manque, l'aidant aidera au moins l'aidé à construire un plan d'action qui lui permettra de régler le problème du moment, en espérant que si l'aidé apprend à régler ce problème, il aura une meilleure chance de faire face à ses problèmes futurs.

Une fois que la description du problème est suffisamment complète et que le rapport entre aidant et aidé est solidement assuré, aucun aidé ne devrait quitter le contact d'aide sans avoir des objectifs bien nets à atteindre, constituant une espèce de « devoir » à réaliser et dont il devra pouvoir rendre compte lors de l'entrevue subséquente. Sans être rigide, l'aidant devra être ferme et amener son aidé à exiger de lui-même autant qu'il peut réaliser à un moment donné.

La pierre de touche d'une relation d'aide réussie est dans l'action constructive de l'aidé et non pas dans ses pensées, ses impressions ou ses désirs seulement.

A titre d'exemple, nous reproduisons ici un fragment de programme d'action élaboré par une aidée en collaboration avec son aidant.

Problème: **Inhibition sociale,** provenant d'une éducation familiale déficiente et d'expériences traumatisantes à l'école et dans le milieu de travail.
Objectifs
1. Affirmation de soi menant à une
2. confiance accrue en soi et donc à une

3. libération des capacités de croissance sociale.

Moyens à utiliser pour atteindre les objectifs:

1. Communiquer verbalement avec les autres

1.1: Demeurer présente mais silencieuse dans un groupe, plutôt que de fuir.

1.2: Formuler intérieurement des phrases qu'elle pourrait dire.

1.3: Répondre brièvement quand on lui parle.

1.4: Poser des question aux autres
  1.4.1 sur des faits objectifs.
  1.4.2 sur leurs impressions et sentiments.

1.5: Transmettre de l'information aux autres
  1.5.1 quant à des faits objectifs.
  1.5.2 quant à des faits subjectifs.

1.6: Exprimer son accord à la suite d'une autre personne.

1.7: Exprimer son opinion sur une question objective, quand cette opinion rejoint celle des autres.

1.8: Exprimer son opinion sur une question quand cette opinion est différente de celle des autres.

1.9: Exprimer son opinion sur une question quand cette opinion est opposée à celle des autres.

1.10: Contredire une autre personne
  1.10.1 Privément.
  1.10.2 Avec un ou deux témoins.
  1.10.3 Dans un groupe.

1.11: Exprimer verbalement son agressivité (ton de la voix) à l'endroit d'une autre personne.
  1.11.1 Privément.
  1.11.2 Avec un ou deux témoins.
  1.11.3 Dans un groupe.

2. Apprendre à conduire une voiture

2.1: Se procurer le permis temporaire.
  2.1.1 Savoir où se trouve le bureau d'émission des permis.
  2.1.2 Se présenter seule et obtenir le permis.

2.2: Maîtriser la théorie du code de la route.

2.3: Prendre des leçons de conduite.
  2.3.1 Se renseigner sur les écoles de conduite.
  2.3.2 Choisir une école.
  2.3.3 Conclure les arrangements.
  2.3.4 Prendre la première leçon.

2.3.5.6.7... Prendre les autres leçons.

2.3.8 S'exercer avec d'autres conducteurs.

2.4: Passer l'examen de conduite.

2.5: Commencer à conduire.

2.5.1 En compagnie d'autres personnes.

2.5.2 Seule, dans la ville.

2.5.3 Avec d'autres, sur la grand-route.

2.5.4 Seule, sur la grand-route.

2.5.5 En ville, sous la pluie.

2.5.6 Sur la route, sous la pluie.

2.5.7 En ville, la nuit tombée.

2.5.8 Sur la route, la nuit tombée.

2.5.9 En ville, sur la neige et la glace.

2.5.10 Sur la route, sur la neige et la glace.

Etc.

3. Compléter ses études dans le domaine de son choix . . .

4. . . .

La discrétion de l'aidant

La discrétion est la capacité de garder pour soi les secrets confiés par les autres. Pour en comprendre l'importance dans la relation d'aide, il importe de se rappeler que l'aidé ne fait que prêter à son aidant l'information qu'il lui transmet, et uniquement dans le but que son aidant puisse l'aider. L'aidé demeure toujours le propriétaire de son information et aucun usage ne peut ordinairement en être fait sans son accord explicite. Beaucoup de relations d'aide avortent à cause du peu de discrétion de l'aidant; beaucoup de personnes, qui pourraient être des aidants efficaces, sont laissées de côté par des aidés possibles parce qu'elles se sont créé une réputation d'indiscrétion. On ne saurait être trop exigeant dans ce domaine: il est fort peu probable qu'un aidé consente à livrer à son aidant des informations très personnelles et intimes, à moins d'être assuré de la discrétion totale de son interlocuteur.

Qu'en est-il de ces situations où l'aidé révèle à son aidant des situations qui peuvent être gravement dommageables à lui-même, à un tiers et, peut-être, à l'aidant lui-même? A moins d'être clairement en présence d'une personne qui n'est plus en contact avec la réalité et n'est donc pas responsable de son action, l'aidant continuera à respecter la confidence de son aidé, utilisant tous les autres moyens de pallier la situation. Ces situations, ordinairement exceptionnelles, peuvent acculer l'aidant à des décisions très difficiles et mettre à l'épreuve la solidité de son respect pour l'aidé. L'aidant doit pouvoir se dire à lui-même à qui il entend donner son allégeance fondamentale. S'il agit comme l'agent du tiers, qu'il ait l'honnêteté de l'indiquer clairement à l'aidé et de distinguer nettement les zones ou sa discrétion sera totale de celles où elle ne sera que relative.

Cette situation peut se présenter fréquemment quand l'aidé est « envoyé » à l'aidant par une tierce personne et que cette tierce personne exprime le désir de recevoir un rapport de leurs contacts. L'aidant pourra alors, soit refuser de recevoir l'aidé dans ces conditions, soit accepter de le faire mais en prévenant la tierce personne qu'il informera l'aidé des limites exactes de sa discrétion. Il est bien clair que, dans ces situations, l'efficacité du contact d'aide se trouve souvent réduite à néant, à la fois pour l'aidé et pour la personne qui l'a envoyé. L'auteur a présent à l'esprit le cas d'un jeune employé envoyé par son patron pour subir une évaluation psychologique. Ce jeune homme avait, l'année précédente, été soumis à une telle évaluation et, selon les désirs du patron, auxquels avait consenti son aidant, un rapport détaillé avait été transmis à l'employeur. Insatisfait des résultats, celui-ci avait demandé à l'auteur de reprendre cette évaluation, mais, cette fois, en consentant à ce que la relation entre l'aidant et l'aidé demeure totalement confidentielle. Les résultats obtenus lors de la deuxième évaluation furent diamétralement opposés à ceux de la première, l'aidé ayant systématiquement déformé la vérité lors de la première évaluation. Il devint alors possible pour l'aidant d'amener le jeune employé à entreprendre lui-même les démarches qui le conduisirent à occuper un poste plus approprié au sein de l'organisme dont il faisait partie et à accroître son rendement dans ce nouveau poste, le tout à la grande satisfaction de son employeur. Cet exemple illustre combien la discrétion est souvent une condition d'efficacité réelle: le rapport détaillé que le patron avait reçu après la première évaluation, tout en lui coûtant une somme considérable, ne valait pas le papier sur lequel il était rédigé.

Si plusieurs aidants travaillent en contact étroit les uns avec les autres, (infirmières, médecins, conseillers sociaux), ils auront à se surveiller plus étroitement sur ce point. Les « confidences de la pause-café », tout en étant extrêmement courantes, n'en sont pas pour autant acceptables pour un aidant qui respecte vraiment ses aidés. Quoiqu'une relation d'aide comporte souvent des aspects humoristiques, l'aidant qui profite de ses relations professionnelles pour tourner en ridicule ses aidés ne fait que révéler le peu de sérieux avec lequel il aborde son travail et le peu de respect qu'il porte à ses aidés. On peut souhaiter qu'il se retrouve lui-même un jour dans la position de ceux que son manque de conscience professionnelle lui fait ridiculiser.

Il importe aussi que l'aidant soit conscient du fait qu'en manquant à la discrétion il ne fait pas que nuire à son propre travail d'aidant, mais qu'il porte préjudice aussi au travail de ceux qui accomplissent une tâche analogue à la sienne. Un aidé, échaudé par le manque de discrétion d'un aidant, peut hésiter longtemps avant de faire de nouveau confiance à un autre aidant.

Ce qui a été dit de la discrétion « orale » de l'aidant s'applique évidemment à tout écrit que peut engendrer la relation d'aide: rapports, dossiers, lettres de l'aidé, etc. seront soumis aux mêmes exigences de discrétion.

L'aidé peu motivé

Il arrive assez fréquemment qu'une personne se présente à l'aidant mais que, dès le début il devienne évident qu'elle ne cherche pas elle-même de l'aide mais est envoyée par une autre: époux, épouse, parent, employeur, supérieur hiérarchique. Il ne faut pas désespérer de telles situations qui souvent changent rapidement quand l'aidé a pu vérifier que son aidant est digne de confiance, par exemple, après que ce dernier l'a assuré de sa discrétion totale et a pu lui exprimer sa compréhension, son respect et sa vérité. Il est en général peu utile pour l'aidant de recourir à des « trucs », cherchant désespérément un sujet de conversation susceptible d'intéresser l'aidé, de tenter, en somme, de le séduire et de le manipuler, de telle sorte qu'il en vienne à souhaiter être aidé. Ces trucs seront ordinairement perçus comme des manœuvres par l'aidé qui n'en deviendra que plus résistant à l'aide que l'aidant prétend lui imposer.

L'aidé peu motivé demandera parfois à l'aidant de prédire le succès de leurs contacts et les bénéfices qu'il en retirera. C'est le moment pour l'aidant de demeurer scrupuleusement honnête, de ne pas promettre des résultats qu'il ne peut pas prévoir. L'aidant peut exprimer son désir véritable d'aider l'aidé, il peut lui indiquer qu'il a déjà aidé d'autres personnes, mais il ne peut en aucun cas lui promettre inconditionnellement le succès du contact d'aide.

Si l'aidé persiste à refuser de s'engager dans le rapport d'aide, il ne reste rien d'autre à faire pour l'aidant que de lui indiquer qu'il est conscient de cette résistance, qu'il respecte sa décision et qu'il demeure disponible au cas où l'aidé modifierait cette décision. L'aidant aura souvent la surprise de voir de tels aidés demander à entrer en contact avec lui des semaines, des mois et parfois des années plus tard.

La fin de la relation d'aide

Si l'on peut dire de la relation d'aide, comme de la relation parent-enfant, qu'elle comporte un amour qui s'accomplit en tendant vers la séparation, on peut aussi dire, en un sens véridique, qu'une relation d'aide vraiment approfondie, tout comme une relation parentale, ne s'interrompt jamais complètement mais connaît plutôt des transformations de rythme et de type à mesure que le temps s'écoule. La nature du rapport qui s'est développé entre aidant et aidé engendre une certaine permanence de la relation.

La plupart du temps, la période des rencontres régulières tend à s'interrompre spontanément, aidé et aidant en arrivant simultanément à la conclusion que le temps est venu d'espacer de plus en plus les contacts. L'aidé exprime souvent de lui-même qu'il envisage de terminer le contact. L'indice le plus certain qu'il est convenable que le contact s'interrompe est sans aucun doute la capacité démontrée par l'aidé d'agir de façon différente et plus efficace qu'il ne le faisait auparavant. En se fiant à ce critère, l'aidant s'évitera d'être dupe des « fuites dans la santé » qu'un bon nombre d'aidés tentent d'effectuer après quelques contacts. Souvent quelques entrevues avec l'aidant font baisser la tension de l'aidé; il croit que ses problèmes sont réglés parce qu'il en comprend mieux la source et la manière dont ils se sont développés, sans se rendre compte (ou, peut-être, en se rendant compte confusément et avec crainte) que tout reste à faire encore et que la seule compréhension ne saurait être un substitut durable à l'action constructive.

Il est bon que l'aidant sache que l'interruption du contact avec son aidé constitue pour lui souvent une dernière crise, amenée par la confrontation de son désir d'autonomie et de progrès avec ses désirs de continuer une relation gratifiante. Cette crise, qui peut parfois être fort pénible pour les deux partenaires, doit être envisagée comme toutes les autres crises qui se sont produites au cours du contact d'aide: comme une occasion d'apprentissage et d'accès à une liberté plus grande. Dans la résolution de cette crise, l'aidant continuera à allier le respect et l'amour profond de son aidé, la compréhension approfondie de son monde émotif, à la fermeté et la solidité de ses attitudes.

Que ce soit l'aidant ou l'aidé qui, le premier, commence à envisager la séparation, il est normal que celle-ci ne constitue pas une rupture instantanée et brutale. Il s'écoulera ordinairement quelques entrevues pendant lesquelles les deux partenaires centreront leur attention sur la séparation imminente. Souvent, plutôt que de s'interrompre instantanément, les entrevues s'espaceront: on passera de l'entrevue hebdomadaire à l'entrevue bi-mensuelle, puis mensuelle. L'aidant indiquera que sa porte reste toujours ouverte. Enfin, aidant et aidé cesseront de se voir régulièrement.

Un mot sur les propres réactions de l'aidant à cette séparation. Si la relation a vraiment été approfondie, la rupture du lien entre aidant et aidé ne saurait laisser l'aidant indifférent. Il est tout normal qu'il ressente lui aussi la peine de cette séparation. Il se souviendra cependant que, dès le début de la relation, il savait qu'elle s'interromprait un jour et qu'il est nécessaire que les choses se passent ainsi pour que l'objectif qu'il s'est toujours fixé, l'épanouissement de la liberté totale de son aidé, puisse se réaliser. On peut dire de l'aidant et de l'aidé ce que Khalil Gibran dit des enfants et des parents:

« Vos enfants ne sont pas vos enfants.
Ils sont les fils et les filles de l'appel de la Vie à elle-même.
Ils viennent à travers vous mais non de vous.
Et bien qu'ils soient avec vous, ils ne vous appartiennent pas.

Vous pouvez leur donner votre amour mais non point vos pensées,
Car ils ont leurs propres pensées.
Vous pouvez accueillir leurs corps mais pas leurs âmes,
Car leurs âmes habitent la maison de demain, que vous ne pouvez visiter, pas même dans vos rêves.
Vous pouvez vous efforcer d'être comme eux, mais ne tentez pas de les faire comme vous.
Car la vie ne va pas en arrière, ni ne s'attarde avec hier. »

(Gibran, 1956, p. 19)

L'orientation de l'aidé vers une autre source d'aide

Il peut arriver fréquemment qu'un aidant découvre, au cours du contact d'aide, que certains des aspects de la situation de son aidé dépassent sa compétence. Il lui faudra alors orienter son aidé vers les personnes qui puissent l'aider plus efficacement qu'il ne saurait le faire. Il peut s'agir de médecins, psychiatres, avocats, bureaux d'emploi, services sociaux, œuvres de bienfaisance, organismes de loisirs, etc. Il est important que l'aidant clarifie pour l'aidé que ce recours à d'autres personnes ne constitue en aucune manière un rejet de sa part, mais bien plutôt une mesure destinée à améliorer la qualité de l'aide reçue par l'aidé.

En général il vaut mieux réorienter l'aidé tôt que trop tard; il devient très pénible pour l'aidé de se voir envoyé à un autre aidant alors qu'il a déjà commencé à nouer une relation avec un premier aidant.

L'aidant peut faciliter le contact entre un nouvel aidant et son aidé en exprimant honnêtement à ce dernier les raisons qui l'amènent à recommander le transfert et en lui procurant l'information nécessaire pour que le transfert s'accomplisse le plus aisément possible. C'est une chose de dire à un aidé: « Il faut que vous alliez voir un psychiatre », et de le laisser ensuite se débattre avec l'anxiété que provoque une telle déclaration et c'en est une autre de dire: « Je pense qu'un psychiatre serait mieux en mesure de vous aider que moi. Je puis vous recommander les trois médecins suivants: ... » Un aidant ne tranchera pas les choses en disant: « Ça ne me regarde pas ... ce qu'il vous faut, c'est un bon avocat. » Il dira plutôt: « Il y a des aspects légaux dans votre situation, et je crois que vous auriez tout avantage à consulter un avocat sur ces points. Je connais Maître X et Maître Y, que je puis vous recommander. »

Sauf en des situations exceptionnelles, l'aidant laissera à l'aidé l'initiative de faire le contact avec l'autre aidant, se bornant à lui fournir l'information qui lui permette de le faire.

Pour pouvoir orienter son aidé vers des sources d'aide appropriées, il faut évidemment que l'aidant connaisse les ressources de son milieu dans ces domaines. Il fait partie des qualifications d'un bon aidant de connaître ces informations et de les tenir à la disposition de ses aidés. Le lecteur trouvera en appendice une liste d'adresses commodes dans ce domaine.

CHAPITRE 5

L'exercice de la relation d'aide
en divers contextes

Le présent chapitre rassemble quelques réflexions sur des modalités spécifiques de la relation aidante selon les milieux divers dans lesquels elle peut s'exercer. En effet, si les principes de base que nous avons énoncés aux chapitres 3 et 4 s'appliquent à toutes les variétés de la relation aidante, il n'en demeure pas moins que certains de ses aspects seront davantage mis en valeur et que d'autres resteront plus dans l'ombre selon les circonstances diverses. Les limites de ce volume nous forcent à être bref; l'aidant exerçant son action aidante dans tel ou tel contexte pourra compléter son information par la lecture des ouvrages spécialisés.

1. La relation d'aide entre parents et enfants

Notre société offre des processus de formation dans une immense variété de domaines: on peut apprendre à être menuisier, médecin, financier ou psychologue. Mais il est une fonction que des millions d'êtres humains sont appelés à remplir et pour laquelle il n'existe à peu près aucune formation rigoureuse: la fonction de **père** et de **mère.** Pour la plupart des gens, la seule formation qu'ils possèdent dans ce domaine consiste dans l'éducation qu'ils ont reçue de leurs propres parents. Tout va bien si cette éducation a été un succès, mais on voit aussi combien il est facile pour des parents de répéter, de génération en génération, des erreurs transmises de père en fils. Par ailleurs, la responsabilité des parents à l'égard de leurs enfants est énorme, puisqu'ils sont les principaux agents de leur évolution vers la liberté, à l'âge où l'être humain est le plus flexible et le plus malléable.

Face à cette situation, il semble clair que la pratique assidue par les parents des attitudes de base de l'aidant, telles que décrites précédemment, si elle ne règle pas tous les problèmes, est au moins susceptible d'améliorer grandement la communication interpersonnelle entre parents et enfants et donc, de créer les conditions favorables à l'épanouissement de la liberté de l'enfant.

Beaucoup de parents, écrasés par la tâche qui leur incombe, recourent à la méthode autoritaire dans la solution des conflits qui les opposent à leurs enfants. Ils ne prennent pas le temps d'écouter activement leurs enfants, se privant ainsi de la possibilité de les comprendre, et donc de les amener à mieux se comprendre euxmêmes. Sans doute, une attitude d'écoute et de compréhension empathique est-elle difficile à pratiquer pour la plupart d'entre nous; elle exige que nous soyons capables de ne pas faire un absolu de notre manière de voir les choses et que nous tentions de les percevoir à la manière de l'autre. Le père à qui son fils de dix ans dit, en parlant de sa sœur: « C'est toujours Suzanne qui commence; elle ne veut pas me prêter ses jouets et elle casse mes affaires », peut essayer de régler la question de façon autoritaire: « Jouez chacun avec vos jouets et cessez de crier. » Il peut aussi s'efforcer de comprendre le point de vue de son fils, l'aidant ainsi à mieux se comprendre lui-même, et travailler avec lui à inventer sa propre solution au problème présent. Un foyer où les parents règlent d'autorité tous les problèmes de relation entre eux-mêmes et leurs enfants et ceux des enfants entre eux risque d'être un foyer où l'enfant n'apprend jamais à prendre la responsabilité de la direction de sa propre vie; arrivé à l'adolescence, il faut aussi prévoir que l'enfant de tels parents se révoltera plus ou moins ouvertement et directement contre une autorité qui lui semblera, à juste titre, paralyser son évolution vers sa propre autonomie. Il se peut aussi que l'effet contraire se produise et que l'enfant, écrasé par l'autorité mal exercée des parents, n'en arrive jamais à conquérir sa propre liberté et devienne un être dépendant, faible, relativement incapable de prendre en main son propre destin.

La forme de respect et d'amour décrite précédemment nous semble s'appliquer directement à l'affection que les parents devraient porter à leurs enfants. Comme on a pu le constater, il s'agit d'une forme d'amour profondément altruiste, dans lequel une personne en aime assez une autre pour mettre tout en œuvre pour la rendre capable de devenir complètement elle-même, et donc très probablement, très différente d'elle. Cet amour n'a rien de captateur ni de séducteur; il ne cherche pas son propre intérêt, mais trouve sa gratification dans le développement et l'épanouissement de l'autre dans la ligne de ses propres forces internes.

Il ne s'agit pas pourtant d'un amour faible et faussement permissif, mais bien d'une affection ferme et vigoureuse. Beaucoup de parents pensent aimer leurs enfants quand ils se plient à leurs caprices et s'inclinent devant leurs exigences parfois déraisonnables. Le psychologue ne cesse d'entendre des parents, confrontés à la révolte de leurs enfants, qui déclarent plaintivement: « Mais pourtant, nous lui avons tout donné. » Après enquête, ce « tout » désigne souvent la somme des biens matériels que l'enfant a progressivement extorqués à ses parents et que ceux-ci ont eu la faiblesse de lui donner, pensant souvent, en quelque sorte, « acheter » ainsi la reconnaissance de leur enfant. Plus que de biens matériels, l'enfant a besoin de recevoir de ses parents une affection tendre, alliée à une fermeté réaliste.

Quant à l'authenticité et la congruence, il est aisé de constater combien leur importance est primordiale dans le rapport parent-enfant. Comme dans toute situation d'aide, l'authenticité est à la base de toute la relation et, sans elle, une relation ne saurait être que fausse et destructive des partenaires. Il n'est que trop fréquent que les actes des parents contredisent leurs paroles, qu'un père exhorte son fils à se plonger dans l'étude alors qu'il est lui-même incapable d'ouvrir un livre, qu'il lui recommande de se contrôler lui-même alors qu'il donne l'exemple de colères fréquentes et irrationnelles. Il est un peu ridicule de voir une mère encourager sa fille à la discrétion alors qu'elle est elle-même une incorrigible bavarde, ou lui enjoindre de ranger sa chambre alors que toute la maison est sens dessus dessous. Les enfants saisissent facilement ces contradictions et cette constatation vient enlever à la relation tout caractère aidant. Bon nombre de parents mentent aussi carrément à leurs enfants, et leur apprennent même à le faire pour se tirer d'embarras. C'est la petite fille à qui sa mère dit: « Tu répondras au téléphone que je ne suis pas là. » C'est le père qui consent à signer pour son fils un billet l'excusant de l'école sous prétexte de maladie, alors que les parents désirent l'emmener avec eux en voyage. De telles manœuvres peuvent gratifier l'enfant pour le moment, mais elles édifient à la longue son mépris pour ses parents.

Beaucoup de parents répugnent aussi à reconnaître leur ignorance ou leurs erreurs devant leurs enfants, tentant pathétiquement de leur apparaître comme des êtres infaillibles et omniscients. Les enfants ne sont pas dupes de telles manœuvres et, s'ils se taisent, ils n'en constatent pas moins l'incohérence relative de leurs parents.

Quant à la confrontation, elle est essentielle pour toute éducation comme pour toute relation vraiment aidante. Cependant, et c'est ce que trop de parents oublient, la confrontation, pour être constructive et non destructive de l'enfant, doit surgir d'une compréhension profonde, d'un amour solide et d'une robuste authenticité. Sinon, elle ne fait que provoquer les défenses de l'enfant, susciter une crise que les circonstances ne permettent pas aux participants d'exploiter constructivement. Il faut qu'un enfant se sente compris et aimé par des parents qui ne lui mentent pas et ne se contredisent pas dans leur comportement pour accepter de les voir le confronter directement. Pour qu'un père puisse dire à son fils: « Ecoute, ça ne marche pas, ton affaire. Tu veux à la fois étudier ton examen et regarder la télévision; ça ne m'apparaît pas conciliable », il faut que son fils ait appris à le connaître comme un être vrai, compréhensif et aimant.

Un être humain peut en influencer un autre de trois manières: en lui **enseignant** directement quelque chose, en lui servant de **modèle** et surtout en lui permettant de **faire l'expérience** de ce qu'il désire lui apprendre. Ainsi, je peux apprendre à mon fils à être honnête en lui expliquant les avantages de l'honnêteté et les désavantages du mensonge; c'est, en général, ce qui est le moins efficace. Je peux aller plus loin, et lui servir de modèle d'honnêteté par ma propre vie. Déjà, cela influence plus profondément l'enfant. Enfin, comme moyen le plus efficace, je peux lui créer les conditions dans lesquelles il puisse lui-même faire l'expérience de l'honnêteté et du mensonge, et être à même d'en constater les effets différents. Trop de parents n'emploient que la première méthode, laquelle n'est efficace que quand elle est alliée aux deux autres.

Il y aurait encore bien des points à signaler au sujet des relations parents-enfants. Il aura suffi de montrer ici comment les attitudes de base de l'aidant sont aussi celles qui permettront aux parents d'établir avec leurs enfants une communication constructive qui, à son tour, facilite pour ces derniers l'atteinte de leur liberté d'êtres humains.

2. La relation d'aide entre époux

On a dit du mariage qu'il était la rencontre de deux névroses complémentaires: le sadique épouse la masochiste, la femme maternelle se marie avec l'homme-enfant, la compulsive unit ses jours à ceux du mari exigeant et critique.

Si ce verdict se justifie dans bon nombre de cas, il semble également que de nombreux mariages sont un terrain de choix pour l'exercice d'authentiques relations aidantes. C'est un truisme de répéter que nombre des difficultés qui surgissent dans la vie du couple sont basées sur des incompréhensions mutuelles, sur l'incapacité relative des conjoints de se « mettre à la place » de l'autre et de voir la réalité à travers ses yeux. Si les époux peuvent apprendre graduellement à pratiquer la compréhension empathique l'un envers l'autre, ils verront un grand nombre de leurs difficultés s'élucider avec moins de peine.

Quant à l'amour qui unit les partenaires, s'il est souvent égocentrique et emprisonnant au début, son évolution devrait le mener graduellement vers plus d'altruisme et plus de détachement. Si au début, les époux pouvaient dire: « Je t'aime pour ce que tu m'apportes », ou: « Je t'aime parce que tu me ressembles », il serait heureux qu'ils en arrivent à pouvoir se dire: « Je t'aime assez pour te laisser être différent de moi », « Je t'aime parce que tu es toi » (Saint-Arnaud, 1970).

Il est clair aussi que la solidité de la relation matrimoniale repose sur la capacité des époux de se dire totalement l'un à l'autre dans la vérité intégrale de leur être. Sans cette authenticité, il ne saurait exister de confiance et donc, d'amour durable entre les partenaires.

A cause du contact étroit qui unit les conjoints, un lien conjugal peut être tout aussi bien profondément libérateur que terriblement destructeur. Il est courant de dire que, dans le mariage, les époux sont appelés à s'aider réciproquement; ne faudrait-il pas ajouter que cette aide ne devrait pas seulement consister pour l'un et l'autre à s'assister mutuellement devant les difficultés de l'existence, mais, encore plus, à être l'un pour l'autre l'instrument d'une libération toujours plus complète de toutes leurs potentialités. Un mariage heureux et aidant sera celui dans lequel chacun des conjoints, centré sur l'autre, s'efforcera de lui créer les conditions favorables à son affranchissement et à sa liberté.

3. La relation d'aide dans le milieu de travail

Les relations à l'intérieur du milieu de travail offrent de nombreuses occasions de relation aidante. Si l'on assume qu'un chef d'entreprise poursuit des objectifs s'exprimant en termes de rendement et d'efficacité, il est juste de croire que l'atteinte de ces objectifs dépendra pour une bonne part de la motivation au travail de ses employés. Bon nombre d'études ont démontré que cette motivation n'est que secondairement influencée par des facteurs tels que la rémunération, l'obtention d'avantages sociaux, ou l'établissement de conditions physiques de travail améliorées. (Blum et Naylor, 1968; Davis, 1967.) Elle semble tenir la plupart du temps à la satisfaction de besoins plus subtils: la compréhension du travail, la valeur sociale de la tâche, le respect reçu par l'employé dans l'accomplissement de cette tâche, etc. L'employeur qui s'imagine améliorer la productivité de son entreprise uniquement en augmentant les salaires se trompera donc souvent. Des employeurs de plus en plus nombreux sont d'ailleurs conscients de l'importance des relations humaines constructives dans leur entreprise et s'efforcent d'en favoriser le développement.

Il semble évident qu'un patron qui peut adopter une attitude de compréhension empathique vis-à-vis ses employés sera plus en mesure de les comprendre et donc d'éviter dans son administration des mesures qui constituent des erreurs psychologiques élémentaires.

Un seul exemple suffira à illustrer ce point. L'auteur a présent à l'esprit un organisme qui se spécialise dans la rééducation de mésadaptés sociaux. La structure hiérarchique y est très étroitement établie; les employés qui sont en contact direct avec les pensionnaires de l'institution ne possèdent aucun contrôle direct de leur travail; on ne leur permet pratiquement aucune initiative et ils ne sont, à toutes fins pratiques, jamais consultés sur l'organisation de leur tâche. En conséquence, leurs besoins d'autonomie et de créativité sont continuellement frustrés. Le résultat est plutôt désastreux: quoique la rémunération monétaire soit adéquate, les employés les plus qualifiés, ne trouvant pas à satisfaire leurs besoins supérieurs, quittent l'organisme ou sont congédiés parce qu'ils en contestent trop explicitement la structure. Ceux qui restent sont ceux dont la créativité est moindre, qui sont plus passifs ou craintifs, et pour lesquels la structure autoritaire répond à leurs besoins de sécurité. En conséquence, la qualité de la rééducation faite dans cette institution laisse beaucoup à désirer. L'employeur, enfermé dans sa perception de la réalité, semble incapable de comprendre empathiquement ses employés. Ne les comprenant pas, il peut encore moins les respecter, faisant usage de procédés grossiers de chantage émotif et de lourde flatterie, qui engendrent chez son personnel un mépris et une hostilité à peine déguisée. Le tout se déroule dans une atmosphère d'inauthenticité et de mensonge. Nous avons là tous les éléments nécessaires pour constituer des relations interpersonnelles nocives et destructives.

L'employeur, au contraire, qui acquerra la capacité de voir les choses du point de vue de ses employés, deviendra, de ce fait, capable de comprendre leurs besoins et pourra donc les respecter davantage, décuplant ainsi la créativité et donc la productivité de son personnel. Cependant, il n'arrivera jamais à mériter la confiance de ses employés s'il leur apparaît comme un être inauthentique et manipulateur.

Nous retrouvons donc dans les relations de travail la même importance des attitudes de base de l'aidant. Comme l'objectif de tout contact d'aide est de favoriser l'éclosion de la liberté de l'aidé, c'est-à-dire le développement de ses potentialités intimes, il semble clair qu'une des manières privilégiées d'atteindre les objectifs de l'entreprise consistera à favoriser ce développement maximum chez chacun de ses membres constitutifs. Ce développement se produira le plus souvent dans une atmosphère constituée de compréhension empathique, de respect et d'authenticité, conditions permettant, à leur tour, une confrontation constructive.

4. La relation d'aide dans les milieux d'enseignement

Un vieil adage pédagogique demande: « Que faut-il connaître pour enseigner le latin à Jacques? » et la réponse vient: « Jacques ». Ce proverbe reflète nettement, semble-t-il, la différence entre une éducation conçue comme une pure transmission de connaissances et une éducation conçue comme un processus d'aide, c'est-à-dire comme une relation tendant à l'épanouissement des potentialités de l'éduqué, dans la conquête de sa liberté. Dans le premier cas, d'ailleurs, l'agent humain est sur le point d'être supplanté par la machine, qui possède sur lui les avantages incontestables de l'objectivité totale et de la patience inlassable. La machine la plus perfectionnée, dotée du programme le plus ingénieux, ne pourra cependant pas nouer une relation interpersonnelle épanouissante avec l'étudiant, et l'agent humain demeurera indispensable dans ce rôle.

Ce qu'on a dit des relations entre parents et enfants s'applique ici directement, avec cette différence que le contact de l'enseignant avec ses élèves est en général moins étroit que celui qui s'établit à l'intérieur du groupe familial.

Comme beaucoup de parents, beaucoup d'enseignants redoutent les enfants et surtout les adolescents qui leur sont confiés. Ils ont souvent peur que leurs élèves ne découvrent leurs limites, à la fois au plan de l'information comme à celui de la maturité personnelle. Ils ont donc tendance à se protéger en restant relativement inaccessibles et en présentant une « façade » qui masque leur véritable personnalité. Cette inauthenticité, perçue par les étudiants, vient empoisonner les relations interpersonnelles et provoque chez eux les mêmes défenses et la même incongruence. Il risque donc de se créer une atmosphère où l'enfant et l'adolescent se sentent incompris et nonrespectés, ce qui rend impossible des confrontations qui auraient pu être fructueuses pour le développement des étudiants. L'erreur fondamentale de nombre d'enseignants semble être leur propension à confronter leurs élèves sans avoir auparavant établi les bases d'une communication caractérisée par la compréhension empathique, le respect et l'authenticité. Dans ces conditions, la confrontation est perçue par l'élève comme une attaque et provoque ses propres défenses. On ne peut pas confronter constructivement sans avoir d'abord édifié une relation solide avec ceux qu'on désire confronter.

L'auteur se souvient d'un professeur qu'il a connu pendant ses études collégiales et dont la personnalité a marqué toute une génération d'étudiants. Il n'enseignait ni la philosophie, ni la littérature, ni les arts, mais bien les mathématiques. Cet homme connaissait bien sa matière et pouvait la présenter avec ordre et clarté. De tous les professeurs, il était certes le plus rigoureux et le plus exigeant, n'acceptant pas la moindre interruption pendant ses cours et requérant de ses étudiants une somme considérable de travail. Mais par-dessus tout, il était vrai, et, à travers ses exigences, on ne pouvait pas ne pas sentir son respect vigoureux pour ses étudiants. Il pouvait nous confronter et nous faire rendre le meilleur de nous-mêmes, parce que nous savions qu'il nous comprenait, nous respectait et ne nous mentait pas.

Il semble donc hors de doute qu'un professeur qui se présenterait à ses étudiants comme un être compréhensif, respectueux et vrai, en même temps qu'exigeant et rigoureux, verrait l'efficacité de son enseignement décuplée. En pédagogie comme en relation d'aide, l'efficacité des techniques les plus élaborées et des méthodes les plus affinées est radicalement conditionnée par la valeur humaine de l'agent qui les utilise. On sait depuis les philosophes grecs que l'artisan principal de l'éducation est l'éduqué lui-même, le rôle principal de l'enseignant étant de créer les conditions favorables à l'apprentissage.

Beaucoup de professeurs objecteront que les structures des institutions d'enseignement, surtout depuis quelques années, rendent impossible ce contact individualisé avec l'étudiant. Tout en reconnaissant le bien-fondé de cette objection, il nous semble que c'est la responsabilité des enseignants d'exercer les pressions qui fassent évoluer le système vers une efficacité accrue, conditionnée par la valeur des relations interpersonnelles entre étudiants et professeurs. Il faut aussi constater que même dans des circonstances défavorables certains réussissent mieux que d'autres à nouer avec les groupes qu'ils rencontrent des relations constructives et épanouissantes. Il semble bien qu'il faille chercher la cause de ces résultats différents non pas toujours dans des facteurs externes: nombre d'élèves, horaire, charge d'enseignement, mais aussi, et plus profondément, dans les qualités humaines personnelles de l'enseignant. L'histoire de la pédagogie est semée de ces enseignants qui ont vraiment fait avancer l'art d'éduquer, fondamentalement parce qu'ils ont su comprendre les besoins de leurs élèves, les respecter profondément en leur communiquant leur confiance en leurs capacités d'épanouissement, et se présenter à eux comme des humains authentiques et vrais.

5. La relation d'aide dans le contact d'aide sociale

Nous pensons ici à tous ces travailleurs qui, dans notre société, sont mandatés par l'Etat ou par des organismes privés pour venir en aide à une grande variété d'aidés. Assistés sociaux, parents désirant adopter un enfant, sans-travail, handicapés physiques ou mentaux, inadaptés sociaux, mères célibataires, etc. La plainte, souvent répétée, d'un grand nombre de ces travailleurs est celle d'être écrasés sous des nombres déraisonnables de « clients » et de devoir consacrer une partie importante de leur énergie à l'accomplissement de tâches administratives qui ne leur laissent que peu de temps pour nouer des relations aidantes.

Tout en souhaitant que l'adoption de méthodes administratives plus expéditives, grâce en partie à l'utilisation d'instruments électroniques, vienne libérer ces travailleurs des besognes de routine, disons qu'il nous semble qu'en général, l'efficacité de l'aide apportée par ces travailleurs pourrait souvent être accrue s'ils parvenaient à vivre dans leur travail les attitudes de base dont nous avons parlé. Le temps réduit dont ils disposent pour aider un grand nombre d'aidés porte souvent les agents d'aide sociale à abuser du conseil immédiat et à offrir à leurs aidés des solutions instantanées à leurs problèmes, sans se préoccuper de prendre le temps suffisant pour comprendre la situation réelle dans laquelle ils se trouvent. Un grand nombre de ces conseils et de ces solutions se trouvent, par le fait même, inutiles, puisqu'ils ne répondent pas aux besoins réels des aidés. L'action efficace doit être basée sur la compréhension, sinon son efficacité ne saurait être que celle du hasard. Il est paradoxal de constater comment en voulant sauver du temps, on finit par en perdre beaucoup. Même si un aidant ne dispose que de cinq minutes pour aider, il devrait en consacrer trois à comprendre son aidé avant de passer à des recommandations et à l'élaboration de plans d'action. La compréhension, dans des conditions aussi difficiles, exige évidemment des capacités d'écoute attentive considérables et une aptitude très grande à créer les conditions favorables à l'auto-exploration et l'auto-révélation de l'aidé. Il est donc très regrettable que souvent, la formation des agents d'aide sociale, de quelque type qu'ils soient, insiste primordialement sur leur acquisition de connaissances techniques (loi de l'aide sociale, procédures administratives, etc.) et laisse presque complètement de côté leur apprentissage des attitudes qui rendent le contact d'aide efficace. Tout se passe comme si on supposait que ces attitudes sont déjà acquises ou se développeront spontanément. Or, très souvent, il n'en est rien, et le rendement du travail d'aide sociale se trouve, de ce fait, fortement diminué.

Il faudrait aussi pouvoir vérifier l'hypothèse selon laquelle les divers agents d'aide sociale, tout en se plaignant de voir leur temps dévoré par des tâches administratives, ne se sentent pas, plus ou moins obscurément, plus à l'aise dans l'accomplissement de ces mêmes tâches et, faute de formation adéquate, relativement démunis devant la nécessité de nouer des relations interpersonnelles approfondies avec leurs aidés. Il est moins compromettant de se réfugier derrière un formulaire à compléter que de faire preuve de respect et d'authenticité envers un aidé.

Il est probable aussi qu'un phénomène d'auto-sélection est à l'œuvre dans ce domaine; les personnes vraiment aidantes se retirent d'un système dans lequel elles constatent qu'il leur est très difficile d'aider efficacement, laissant ainsi la place à d'autres personnes dont l'incapacité relative à développer des attitudes aidantes leur permet de demeurer intégrées à un système qui valorise le rendement administratif aux dépens de l'efficacité réelle de l'aide.

Un mot sur la **supervision** de ces travailleurs. Dans la plupart des organismes qui se consacrent à l'aide de la population, les travailleurs qui sont en contact direct avec la clientèle desservie sont soumis à une supervision parfois pendant toute leur carrière, ou, du moins, pendant leurs premières années de travail. En regard de ce que nous avons dit de la relation aidante, il est clair qu'un superviseur doit être un authentique aidant pour ceux qu'il supervise. Les mêmes attitudes de compréhension empathique, de respect, d'authenticité, de précision, rendant possibles une confrontation et une immédiateté efficaces sont clairement indispensables pour un superviseur. Il est pour le moins incohérent de voir des superviseurs recommander empathie, respect et authenticité à des supervisés qu'ils ne comprennent pas, ne respectent pas, et auxquels ils se présentent comme des êtres faux et incongruents. Cette situation est loin d'être exceptionnelle et elle explique sans doute une bonne part du rendement limité de l'aide sociale. Ici comme ailleurs, on ne donne pas ce qu'on ne possède pas; les plus sûrs moyens de former un aidant, au-delà de l'enseignement direct, sont encore la capacité du formateur de servir de modèle à ceux qu'il forme, et surtout son aptitude à leur permettre d'expérimenter eux-mêmes, dans leur contact avec lui, ce qu'il tente de leur enseigner. Les supervisés demanderont légitimement à leur superviseur de pratiquer avec eux ce qu'il leur recommande de vivre avec leurs aidés. L'incongruence du superviseur vient détruire l'efficacité de sa supervision et n'engendre qu'agressivité et résistance de la part des supervisés.

6. La relation d'aide en milieu hospitalier

La population des hospitalisés comprend des personnes de tous les genres, possédant toutes cependant un point commun: celui d'être confrontées avec la maladie, révélation de notre fragilité d'êtres humains. Pour beaucoup de malades, leur séjour en milieu hospitalier est l'occasion d'une prise de conscience, parfois brutale, de leur condition humaine. Il est peut-être aisé de se fuir dans le brouhaha de la vie quotidienne, mais il est plus difficile de le faire quand la maladie vient interrompre le cours normal des activités et laisse l'homme en face de lui-même. Beaucoup de vieux conflits mal réglés, de craintes mal affrontées, de frustrations mal assumées peuvent ressurgir à cette occasion. Face à ces pressions, atteint dans sa chair même, il n'est pas rare que le patient régresse et cherche à se réfugier à un niveau d'adaptation qu'il doit normalement avoir dépassé. Tel homme d'affaires, plein d'assurance à son bureau, s'effondrera en larmes à la pensée de l'opération imminente. Telle mère de famille, exemple de fermeté et de solidité au foyer, retrouvera des comportements infantiles dans un milieu où toute possibilité d'initiative lui est retirée.

Le personnel hospitalier, sans toujours s'en rendre compte d'ailleurs, favorise souvent cette régression par la manière dont il entre en relation avec le malade. Certaines pratiques largement répandues, comme celle de cacher au malade la nature de son état, le langage infantile utilisé souvent pour communiquer avec lui (« Bon, nous allons prendre notre petit somnifère et faire notre dodo »), tendent à retirer au malade sa dignité de personne responsable.

L'aidant en milieu hospitalier sera donc souvent mis en contact avec des personnes chez qui leur situation favorise le développement d'attitudes dépendantes et il devra faire un effort spécial pour ne pas céder aux appels de cette dépendance. Sauf dans les hôpitaux pour chroniques et les maisons de convalescence, le temps manquera, le plus souvent, à l'aidant pour nouer des relations approfondies avec ses aidés. Son travail sera aussi rendu plus compliqué du fait que les gens qu'il rencontre seront souvent en état de crise. Il pourra avoir tendance à aborder superficiellement les situations, offrant de larges doses de sympathie et un éventaire de solutions rapides. Chacun sait pourtant qu'une période de crise n'est, en général, pas propice à la prise de décisions importantes.

Il nous semble que les attitudes fondamentales de l'aidant trouvent leur emploi à l'hôpital comme dans les autres types de relations aidantes. Ce n'est pas parce qu'un homme est malade qu'il a moins besoin d'être compris et respecté profondément; son impuissance n'autorise pas non plus son aidant à lui mentir ou à lui jouer quelque comédie prétendument pacifiante.

L'aidant en milieu hospitalier sera aussi appelé à faire face à la situation, peut-être la plus difficile de toute relation d'aide, celle d'apporter son aide à celui qui va mourir. Comme toutes les crises, cette dernière crise de la vie peut être l'occasion pour chacun d'une croissance et d'un accomplissement. Quelles que soient les croyances religieuses du mourant, qu'il croie que sa vie ne fait que se transformer ou qu'il soit convaincu que tout finit avec sa mort, il lui reste au moins la possibilité de mourir avec dignité, dans la lucidité face à lui-même. L'aidant sera souvent tenté de s'esquiver à ces moments, trouvant toutes sortes de prétextes pour éviter une situation qui éveille sa propre angoisse. Pourtant, plus que jamais peut-être, l'homme qui va mourir a besoin de trouver près de lui un être qui le comprenne et le respecte dans la vérité.

Le langage non-verbal sera souvent plus expressif à ce moment qu'un flot de paroles bien intentionnées mais superflues.

Les membres de la famille du malade auront aussi souvent besoin d'être aidés à comprendre leurs propres réactions devant la maladie et la mort d'un être qu'ils aiment. Une période de deuil profond est saine et l'aidant se gardera de tenter de la supprimer. Les membres de la famille du défunt ressentent souvent de la culpabilité devant la mort; ils se reprochent, à tort ou à raison, de n'avoir pas suffisamment aimé et aidé celui qui les a quittés. L'aidant les aidera à faire le partage entre une culpabilité réaliste, basée sur des faits contrôlables, et une culpabilité névrotique, représentant la réaction à la transgression d'interdits inconscients.

7. La relation d'aide pastorale

Les membres du clergé, quoique leur prestige ait sensiblement baissé depuis quelques années, sont encore consultés et projetés dans le rôle d'aidant par de nombreuses personnes aux prises avec les difficultés de l'existence. Ce phénomène s'explique par la longue tradition qui voit dans le prêtre ou le ministre un intermédiaire puissant avec la divinité, détenteur de pouvoirs mystérieux, susceptible de posséder la solution aux problèmes qui ne cessent de harceler l'humanité. Il faut ajouter aussi que, dans des milieux où le niveau d'instruction a longtemps été bas, la formation intellectuelle du ministre du culte a fait de lui une personne-ressource pour une grande variété de difficultés, plus ou moins reliées à sa fonction de pasteur. Pensons à ces villages où le curé était, jusqu'à tout récemment, la compétence ultime en matière de religion, de morale, mais aussi en matière de science agricole et d'élevage.

Le prêtre ou le ministre sont en général assez mal préparés à jouer un rôle d'aidant efficace. Leur formation a souvent été surtout théorique et a pu les habituer à trancher de façon absolue des problèmes complexes de comportement. S'il est célibataire, le développement de la vie affective du prêtre ou du ministre peut être tronqué, surtout si, comme cela s'est souvent produit, il a été soumis dès son adolescence à l'atmosphère cloisonnée des séminaires ou noviciats. Dans de telles circonstances, son expérience concrète de la vie quotidienne et des difficultés que ses aidés y rencontrent peut être assez limitée.

D'autre part, malgré ces limitations, le ministre du culte apparaît souvent à ses aidés comme un aidant discret, savant, moins menaçant que le médecin et surtout que le psychiatre. Présent aux grands moments de la vie: naissance, mariage, décès, il en retire un prestige qui prédispose ses aidés à avoir confiance en lui.

Ces caractéristiques constituent à la fois pour le ministre du culte un avantage et un désavantage dans l'accomplissement de son travail d'aide.

Parce qu'il est perçu comme discret et sage, certains de ses aidés auront plus de facilité à se confier à lui et il pourra ainsi plus facilement les comprendre et les amener à se comprendre eux-mêmes. D'autre part, parce qu'il participe encore du caractère du sorcier tout-puissant, ou au moins de celui du père, comme l'indique le vocabulaire utilisé pour le désigner, il aura à se garder spécialement des attitudes de dépendance dont sa fonction même tend à favoriser le développement chez ses aidés, et qui constituent un obstacle à l'acquisition de leur autonomie. Il faut bien le constater malheureusement, nombre de ministres du culte tendent, par leur comportement, à favoriser ce genre de dépendance, satisfaisant peut-être ainsi, s'ils sont célibataires, des besoins inassouvis de paternité. Le temps n'est pas si loin où le « père spirituel » dirigeait ses « fils et ses filles spirituels ». Ce vocabulaire peut faire sourire aujourd'hui, mais il est loin d'être certain que les attitudes qu'il désignait soient complètement disparues chez les membres du clergé.

La difficulté principale à laquelle sera confronté l'aidant pastoral sera peut-être de clarifier nettement pour lui-même et d'intégrer les divers rôles qu'il est appelé à jouer, de tracer les lignes de son identité. Chargé de propager le message religieux de sa foi, investi de pouvoirs qu'il met au service de la communauté, le ministre du culte est aussi un homme comme les autres qui ne peut réclamer aucun privilège l'isolant du commun des mortels. Il n'est ni un créateur de vérité, ni un magicien détenteur de pouvoirs supra-naturels, il n'est pas non plus un psychiatre ou un psychologue au rabais.

Comme tous les aidants, le ministre du culte rendra surtout service en vivant, dans les relations qu'il noue avec ses aidés, les attitudes de base que nous avons décrites. Il semble inutile ici de revenir sur chacune d'elles, si ce n'est pour souligner certaines caractéristiques propres au travail d'aide pastoral.

Ainsi, le prêtre ou le ministre aura peut-être plus besoin qu'un autre de distinguer clairement, pour lui-même et pour ses aidés, la compréhension empathique et le respect, de l'approbation et de l'accord. Il aura à se redire que, pas plus qu'aucun autre humain, il n'est responsable **à la place** des autres, ni même **des** autres, mais que sa seule et primordiale responsabilité est celle de lui-même **en face** des autres.

Parce qu'il professe explicitement les valeurs élevées de sa foi, le ministre du culte sera souvent confronté à des situations où son authenticité devra s'exprimer avec clarté et vigueur; un certain style de comportement « clérical », comportant une bonne part de fausseté et de contradictions intimes, est évidemment nocif à la relation d'aide pastorale.

Si le ministre du culte est célibataire et, à plus forte raison, s'il a fait profession explicite de célibat, il serait opportun pour lui de se rappeler que cet état attirera vers lui un certain nombre de consultants qui seront à la fois séduits et rassurés par cette situation.

Aux yeux de certaines de ses consultantes, le ministre officiellement célibataire peut apparaître comme la citadelle à conquérir. **Pour** d'autres, il deviendra un objet sexuel sécurisant parce que détaché de la génitalité. Le ministre célibataire aura aussi à demeurer lucide devant sa propre sexualité, n'adoptant ni une attitude défensive ni une attitude naïve, révélatrice toutes deux de son manque d'intégration et de maturité dans ce domaine. Le respect profond et l'amour réel qu'un aidant doit vivre envers ses aidés, joints à sa lucidité envers lui-même, l'empêcheront d'utiliser à son avantage des situations que son prestige et ses qualités personnelles humaines, souvent très appréciables, lui rendraient facilement exploitables.

CHAPITRE 6

La relation d'aide vue par l'aidé

Pour faire suite aux considérations quelque peu abstraites qu'a comportées la description des éléments constitutifs de la relation d'aide, il semble opportun de concrétiser ces réflexions et de présenter la relation d'aide telle qu'expérimentée par l'aidé. Pour ce faire, nous allons nous pencher sur de longs extraits d'une série de lettres écrites par une aidée au cours de la relation d'aide qu'elle a vécue avec l'auteur. Ces extraits sont publiés ici sans modifications notables; seuls quelques éléments ont été omis, modifiés ou abrégés pour respecter l'anonymat de cette personne et les limites du présent volume. Ajoutons que ces lettres sont reproduites avec l'assentiment explicite de leur auteur, dans l'intention que leur lecture puisse permettre une meilleure compréhension du déroulement de la relation aidante. Disons tout de suite aussi qu'une relation d'aide est une expérience très personnelle dont le déroulement varie d'une personne à l'autre; il ne faut donc pas chercher dans le cheminement d'une personne un modèle de ce qu'une relation **doit** être, mais plutôt une illustration de ce qu'elle **peut** être.

Quelques mots de présentation d'abord avant de passer aux lettres elles-mêmes. Au moment du premier contact, Hélène (comme tous les autres noms utilisés dans les lettres. il s'agit ici d'un nom fictif) était une célibataire de 35 ans, étudiante universitaire. Physiquement, elle se présentait bien, quoique son poids fût d'environ 50 livres supérieur à la normale. Son problème de présentation était de nature sexuelle: Hélène déclarait se masturber compulsivement depuis des années et se sentir terriblement dévalorisée par cette pratique.

Très chargé de travail à ce moment, je différai le premier contact pendant plusieurs mois. Pour des raisons pratiques, Hélène ne pouvait venir en entrevue chaque semaine; nous nous entendîmes donc pour nous rencontrer pendant deux heures, environ deux fois par mois. Après chaque entrevue, Hélène entreprit spontanément de m'écrire une longue lettre où elle retraçait son évolution intérieure. Nous avions convenu dès le début que je lirais ses lettres avec attention, mais que je n'y répondrais jamais.

Lettre 1 — 21 septembre

Je ne vous écris pas précisément pour vous communiquer mes réactions sur l'entrevue d'hier, encore que j'en aurais peut-être à exprimer.

Un problème que je ne prévoyais pas se pose pour moi. Je suis censée être aux études à plein temps, donc du lundi au vendredi à l'université. Des cours, des rencontres d'étudiants gradués s'organisent. Je puis m'absenter quelques fois, au début de l'année surtout, mais il ne faudrait pas que ces absences se prolongent. Or, mes rencontres avec vous m'obligent à une journée d'absence, qu'elles soient l'avant-midi ou l'après-midi. Je me trouve donc coincée entre mes exigences professionnelles et le besoin réel d'une aide psychologique. Je le ressens davantage aujourd'hui parce que des rencontres et des cours se sont décidés hier en mon absence. Vous me suggériez hier, comme fréquence, des rencontres tous les quinze jours. Si cela est aussi utile, pourraient-elles avoir lieu chaque semaine et être assez prolongées, de telle sorte que je puisse ne pas avoir à étendre ces absences sur une longue période? Je ne sais pas ce qu'il vous est possible de faire ni ce qui est le plus profitable pour moi. Mais je vous en parle dès maintenant parce que vous devez, je suppose, planifier votre travail. J'aurais préféré communiquer par téléphone, mais je ne sais à quel moment je peux le faire sans vous déranger.

Je suis surprise de ne pas être davantage affolée intérieurement. Je me sens au contraire pleine d'espoir et désireuse de profiter à plein de cette relation.

Lettre 2 — 12 octobre

Je n'arrive vraiment pas à dormir. Et au lieu de régler la difficulté en prenant un cachet, je fais ce que j'ai vraiment envie de faire: je t'écris. En le faisant j'ai bien un peu l'impression d'enfreindre une convention tacite. Et cette lettre te fera sans doute sourire. Pour me faire pardonner de l'écrire, je voudrais que tu comprennes ce que je vis. Lors de nos entrevues, hier en particulier, tout mon être est fortement remué. Tu me dis de laisser monter en moi tout cela. Les idées, les émotions tournent et retournent en moi comme un carrousel. J'éprouve vraiment le besoin de les communiquer. Et je ne puis le faire à d'autres qu'à toi: qui comprendrait ici? Je scandaliserais même mes meilleures amies, du moins, la meilleure qualité d'amies que j'aie. Si j'attends pour t'en parler dans quinze jours, le barrage édifié pour contenir tout cela est si solide que je n'arrive plus à l'ouvrir lorsque, enfin, arrive l'entrevue. (Tout en écrivant, je suis tentée de filtrer les mots qui te permettraient de lire plus que je n'écris, tel ce « enfin » ci-haut. Mais je ne le fais pas parce que je voudrais vraiment en arriver à ne pas craindre que tu découvres en moi n'importe quoi. J'ai quand même peur de ce que cette confiance suppose.)

Je ne voudrais pas revivre le blocage d'hier. Lorsque je revois tout cela maintenant, je crois que j'aurais pu expliquer certaines raisons, mais j'étais paralysée. Pourquoi? Voilà ce que je vois maintenant: 1) lorsque je suis arrivée au secrétariat, on m'a dit de me rendre chez toi, on ne savait pas si tu étais arrivé. On m'a dit de sonner au numéro 106; je croyais bien me rappeler que tu étais au numéro 107. J'ai sonné là; tu imagines un peu mon énervement. Ça n'aurait rien fait si je n'avais pas été tendue d'avance. 2) Il y avait une enregistreuse chez toi. Fonctionnait-elle? Je l'ai craint et j'ai été trop stupide pour t'en parler. Je serais tout à fait opposée à ce que nos entrevues soient enregistrées, à moins d'en connaître la vraie raison. 3) Entre les rencontres, je revis les moments passés avec toi. J'essaie même de pas mettre de freins à ce qu'ils font monter en moi. Toi, pendant ce temps, tu vois un tas de gens, tu oublies. Lorsque je reviens, je ne suis plus tout à fait ce que j'étais à la rencontre précédente. De plus, tu sais combien j'ai de la difficulté à croire en l'estime, l'affection des personnes qui me connaissent. Les premiers jours qui suivent la rencontre une fois passés, le sentiment de plénitude, de paix que me donnent ton accueil, ta compréhension sont bien vite sapés par les « Ce n'est pas vrai », « Il fait comme si, mais au fond », etc... De telle sorte qu'en arrivant, je crois que j'ai besoin d'être réapprivoisée.

Je t'ai donné toute ma confiance et ce, dès mai dernier, je crois. Autrement, j'aurais abandonné, car j'ai eu peur, hier surtout. J'ai encore peur... Je ne sais où tu me mènes. Hier, un moment, j'aurais eu le goût de te dire: « Ne prends-tu pas conscience de ce que tu bouleverses en moi? Tu ouvres des écluses. Mais tu te soucies fort peu du mal que j'aurai à les endiguer après ou à réparer les dégâts de ce qu'elles auront laissé s'échapper! Tout ce travail pénible jeté à bas! » Mais je ne crois pas, au fond, que tu t'en soucies fort peu. Je pense que tu fais ce qu'il faut pour m'aider. Je crois que l'expression de l'acceptation inconditionnelle que tu as pour moi est précisément de me donner ce dont j'ai besoin pour que « mon arbre croisse normalement ». Et je crois aussi que mes difficultés viennent de cette affectivité, de ce besoin de tendresse refoulé, honteusement presque. Je me rappelle justement une réflexion que j'ai faite sans trop y penser lors de la première entrevue. L'état dans lequel j'étais lorsque mes difficultés sexuelles ont recommencé, soit il y a peut-être huit ans, se traduisait ainsi: je voudrais une épaule où me blottir et deux bras pour me serrer ... J'avais une soif immense de tendresse humaine et, j'oserais même dire, masculine aussi.

Mais j'ai quand même peur de ce que je vais découvrir dans ces oubliettes que tu m'amènes à ouvrir. J'ai peur mais tu es là. Je veux continuer d'avancer. Ne m'égare pas! (J'ose avoir la naïveté de te faire cette prière puisqu'elle monte si souvent en moi).

J'ai peur ... je devrais traduire cette peur, du moins essayer, car je crois qu'elle serait exorcisée. J'ai peur d'avoir à remettre en cause un tas de choses. Je ne veux pas, par ailleurs, me dire a priori que je n'aurai pas à les faire, ces changements.

J'ai peur aussi de la souffrance que je ne pourrai pas ne pas ressentir si je m'attache trop à toi. C'est d'ailleurs déjà fait ... J'ai peur des besoins, des soifs réouvertes en moi. Mais peut-être que ces soifs sont déjà là et qu'elles s'assouvissent comme elles peuvent par des moyens déviés ...

Je t'ai écrit tout spontanément. J'ai l'impression d'avoir abattu moi-même mes derniers retranchements. Je serai peut-être tentée de les reconstruire lors de la prochaine rencontre. Je me sens stupide d'écrire cette lettre et encore plus stupide de te l'envoyer. Je ne veux pas penser à ce que tu concluras en la lisant ...

13 octobre

Je n'avais pas cacheté ma lettre cette nuit. Aussi ai-je été tentée de tout jeter au panier: c'est stupide de t'écrire ainsi.

Tu trouverais aussi stupide de me voir au travail actuellement. A vrai dire, j'arrive difficilement à travailler. Je rêve, comme une adolescente. Peut-être suis-je dans l'erreur, mais je ne lutte pas trop pour enrayer ces rêves: je crois que j'ai trop longtemps rationalisé; je dois laisser ma sensibilité, mon affectivité se déplier, je les ai trop longtemps ficelées et rejetées aux oubliettes. Dois-je t'envoyer cela? J'oscille entre la crainte et l'espoir, mais est-ce que je me trompe?

Lettre 3 — 26 octobre

Avec la rencontre d'hier, j'ai vraiment l'impression d'avoir fait un pas en avant et même plus d'un.

Au point de vue affectivité, la pression baisse. Et tu sais, je constate une chose: les réactions déterminées chez moi n'ont pas cette violence que je redoutais. Pour être plus explicite: je ne t'aime pas « à la folie » comme je craignais de le faire. Le fait que je vive tout cela dans un contexte de relation d'aide me permet de relativiser certaines choses. (Je suis encore vague. Précisons!) Le fait d'expérimenter de la tendresse dans le contexte de la relation avec toi comme psychologue et de comprendre pourquoi tu me permets d'agir ainsi, me fait recevoir cette tendresse avec beaucoup de reconnaissance, mais sans en être « enflammée ». Pour moi, tu n'es pas un « amoureux », mais un ami qui m'apporte quelque chose d'infiniment précieux: l'aide qui me permettra de devenir une personne humaine moins éclopée, libérée.

Tu démystifies aussi des gestes que, dans mes rêveries d'adolescente, j'avais chargés de tout un contenu sensuel, et surtout plein de danger.

Je me sens en mesure maintenant de poser des actes qui brisent le cercle vicieux dont tu me parlais hier, v.g. ce matin, je dirai tout simplement à L. que j'ai oublié de faire son message au lieu d'inventer quelque excuse et j'accepterai qu'il m'en apprécie moins. Je me propose de continuer d'agir en ce sens. D'ailleurs, dans mon contexte quotidien, j'ai mille occasions d'être moi, tout simplement, et d'en porter les conséquences.

Hier, dans la dernière partie de l'entrevue, j'ai vécu une relation tout à fait inédite pour moi: j'avais le goût de te communiquer tout simplement ce qui montait, j'expérimentais une libération, inconnue pour moi jusqu'à maintenant.

(Note: Entre la troisième lettre et la quatrième lettre se place une absence de trois semaines de l'aidant.)

Lettre 4 — 15 novembre

Ta carte m'a fait vraiment plaisir, d'autant plus que je ne m'y attendais pas du tout et que, actuellement, ça ne va pas trop. Comment t'expliquer ce qui se passe? D'un côté, il y a quelque chose en moi de libéré. Je risque beaucoup plus d'être moi-même. Une personne avec laquelle je vis me disait, il y a quelques jours: « Je ne te reconnais quasi plus: tu es tellement moins compliquée. Au lieu de te taire et de te refermer en toi-même lorsque quelque chose te heurte, tu l'exprimes calmement et l'on sent que c'est fini. Tu dis beaucoup plus ce que tu penses . . . » Je crois qu'elle dit vrai. Je m'en fais tellement moins avec tout et j'ose faire ce que j'ai peur de faire. Je ne te dis pas qu'il ne me vient pas à l'idée de chercher ce qu'il (ou elle) a bien pu penser de moi en telle ou telle circonstance, mais j'essaie de ne pas m'y arrêter et je crois que je réussis assez souvent.

Par ailleurs, depuis la fin d'octobre, tout le secteur émotif, affectif en moi est en ébullition. Je ressens une telle soif de tendresse! qui se satisfait comme elle peut. (Pardonne-moi de ne pas être plus explicite ici. Je t'en parlerai lorsque je te verrai. Mais je crois que tu devines . . .) Il est vrai que physiquement, je suis très fatiguée, à cause surtout d'une période très intense de travail à l'université, travail par lui-même bien peu gratifiant. Mais j'ai l'impression qu'en moi, une faim est avivée. Je sens un besoin immense de tendresse humaine! Je voudrais le crier!!! Une épaule où me blottir et deux bras pour me serrer! . . .

J'ai l'impression d'avoir fait une rechute après m'être crue un moment sur le chemin de la guérison. Si tu n'étais pas là, je serais profondément découragée. Il me coûte un peu de le reconnaître, mais tu m'as profondément manqué, j'ai compté les jours qui me séparaient de notre prochaine rencontre.

Je me sens vraiment attachée à toi, mais pas de la façon dont je le prévoyais. Tu es pour moi un peu comme une bouée, qui me permettra . . . peut-être de me rééquilibrer (l'incertitude du « peut-être », elle vient de moi: aurai-je le dynamisme nécessaire pour réagir? N'est-il pas trop tard? Le déséquilibre affectif en moi ne serait-il pas encore plus profond que je le crois? . . . Et toutes les questions de la même « couleur », tu les devines). Est-ce que je collabore suffisamment? Sans doute ai-je été concrètement plus simple, plus vraie. Ces efforts d'ailleurs ne me sont pas tellement pénibles parce que j'ai d'abord pu être simple avec toi. Eh! oui, quoique cela m'intrigue beaucoup, je me rends compte de ceci: après avoir été effarée lorsque tu as commencé à me dire qu'il y avait des choses en moi que tu n'acceptais pas, j'en ai éprouvé ensuite une très grande libération. Peut-être est-ce parce que le cercle que tu me décrivais, dans lequel je me sentais enfermée, est rompu maintenant? Avec toi, je sens que je peux être moi-même sans risque.

Par ailleurs, je me reproche de ne pas maîtriser suffisamment mon affectivité. Je m'explique: j'ai voulu laisser monter en moi ce qui venait, je croyais qu'il fallait le faire. J'ai rêvé à toi, de toi. Je suis même allée beaucoup plus loin, surtout dans les moments où les premières minutes du sommeil laissent la volonté bien peu vigilante. (Je me sens culpabilisée et j'avais résolu de ne pas t'en parler. Tu vois . . .) Ne devrais-je pas plutôt refouler ce qui monte en moi? Où est-ce que cela me mène? Ma soif de tendresse n'en est que plus vive! J'ai peur! pas de toi (moins maintenant en tout cas), mais de moi, de mon cœur, de mon corps, de leurs revendications.

En t'écrivant ainsi ce que je ressens c'est un peu ceci: j'ai l'impression de jeter un peu en vrac devant toi cet être éclopé que je suis, que j'aurais eu jusqu'ici le goût de jeter au rebut, et de te demander: « Penses-tu que l'on puisse encore en tirer quelque chose de bon? » Quand on pose cette question, c'est peut-être qu'au fond, on espère toujours.

16 novembre

Tu arrives demain. J'espère que tu auras le temps de te reposer: le décalage d'heure perturbe vraiment le rythme biologique. J'ai hâte de te revoir! quoique je redoute toujours les premiers moments de l'entrevue.

Lettre 5 — 28 novembre

Que m'as-tu donc fait, pour que moi, une respectable personne supposément bien élevée, je t'écrive sur ce ton? Si, selon ton propre oracle, je te maudirai un jour,* je n'ai actuellement pas du tout envie de le faire, au moins pour m'avoir simplifiée suffisamment que je puisse badiner ainsi en t'écrivant. C'est bon, tu sais, de sentir au moins une petite zone de soi-même un peu libérée!

---

* Voir par exemple la lettre 17, 28 février.

Tu permets que je vienne réfléchir avec toi? ou plutôt, expliciter une conversation que dans mon imagination, j'ai poursuivie avec toi depuis mardi? *

J'ai lu l'autobiographie de Marc Oraison. Je l'ai fait avec beaucoup de joie, parce qu'elle est intéressante sans doute, mais aussi, il me faut le reconnaître parce que tu m'en as parlé et que tu partages ses idées. En lisant ces pages, j'ai donc un peu l'impression de te découvrir, de communier à ce que toi, tu penses, et pour moi, c'est très gratifiant.

Par ailleurs, je dois t'avouer une chose qui, à la fin de la rencontre de mardi, me laissait très songeuse. Je crois te l'avoir déjà dit ou écrit d'ailleurs: Goûter par toi l'expression d'une tendresse humaine masculine, c'est démystifier l'idée que je m'en faisais. Je m'explique: je trouve cela très bon, et en quelque sorte très pacifiant. Lorsque je te disais très simplement « Je me sens bien », c'était vrai. Mais je ne goûtais pas cette exaltation profonde que, dans mes rêves, dans mon imagination, j'avais associée à cette tendresse. Ce qui me rejoignait bien davantage et que j'ai goûté par-dessus tout, c'est de me sentir comprise, devinée et ... acceptée (j'hésite à écrire ce mot parce qu'il y a sans doute beaucoup de choses en moi que tu n'acceptes pas ...); c'est de pouvoir être simple, franchement à l'aise pour dire ce que j'avais dans la tête et dans le cœur.

Et, je te le disais plus haut, j'avais au retour beaucoup plus le goût de lire ce livre qui me permettait de te rejoindre, de te comprendre.

En associant ces deux perceptions, voici ce que j'ai cru comprendre: ce à quoi j'aspire profondément, ce qui me comblerait vraiment, ce n'est peut-être pas cette expression de tendresse vers laquelle je languis depuis tant d'années et pour laquelle ma soif est exacerbée, mais cette compréhension profonde qui peut s'établir entre un homme et une femme. Dans ma tête, je sais bien que cela **peut** avoir du bon sens. Mais j'ai besoin de l'expérimenter, de le vivre dans tout mon être. J'ai beaucoup plus le désir de te rejoindre dans ce que tu es, d'être aussi comprise jusqu'au fond dans ce que je suis, dans ce que je vis. Tout en ne niant pas la détente, la pacification que me procure ta tendresse. (Le « ta » ici ne me semble pas juste, puisqu'il ne s'agit pas de l'expression spontanée d'un sentiment que tu me portes mais d'un moyen thérapeutique sans plus. En t'écrivant, c'est pour moi-même que je fais cette mise au point. Et, je te l'avoue, ça me

* Voir par exemple la lettre 17, 28 février.

rassure peut-être, mais en même temps, ça me fait mal de voir les choses en face . . .)

Il me faut te dire que je ne m'aventure pas dans cette façon d'envisager les choses sans hésitation: est-ce une façon plus subtile de me sécuriser, de vivre la peur de mon être de chair?

Tu comprends ce raisonnement que je redoute quand même de faire mien, de peur de faire complètement fausse route, je dirais même, de peur de faire marche arrière! J'ai l'impression, en effet, de marcher depuis le 20 septembre, sur une route dont les détours sont pour le moins imprévisibles. Je ne sais vraiment pas où est la vérité pour moi maintenant. Il me revient à l'idée cette phrase lue dans quelque poème anglais: « Mets ta main dans la main de Dieu: ce sera pour toi plus éclairant qu'une lumière, plus sûr qu'un chemin connu . . . » Je veux bien . . . Ça veut dire que je la mets dans la tienne aussi . . . Ça devient plus concret et donc plus exigeant . . . moins rassurant . . .

Voilà! J'ai réfléchi avec toi. Cela m'a aidée, peut-être pas à faire le discernement, mais du moins à tenir en éveil mon esprit critique, à essayer de voir les choses en face.

Dois-je t'envoyer cette lettre? J'ai vraiment peur que ça t'embête. Par ailleurs, lorsque j'examine les raisons qui me poussent à écrire, je trouve ceci: non pas que je veuille te communiquer des choses que je n'oserais pas te dire, car je me sentais tout à fait capable, mardi, de t'exprimer ce que je vivais.* C'est plutôt d'abord parce que j'ai le goût de communiquer avec toi, que cette communication, même sous forme de monologue, diminue mon anxiété intérieure. Je pense aussi que ces lettres m'aident à progresser dans la connaissance de moi-même, « commencement de la sagesse et fin de la peur . . . »

J'aurais aussi le désir de t'écrire pour te raconter tout simplement ce que je fais, les petits événements de mes journées. Mais pour toi, ça n'a pas d'intérêt. Pour moi, c'est tout nouveau ce besoin de te mêler à ma vie. N'est-ce pas le signe d'une certaine évolution de ma relation avec toi? Je ne sais pas encore identifier cette forme nouvelle.

25 novembre

Un mot encore avant de cacheter cette lettre, si tu le veux bien. Je sais que le ton folâtre du début ne t'empêchera pas de deviner que je ne suis pas dans la sérénité parfaite. J'ai bien plutôt l'allure de Snoopy à qui la tête tourne et qui hésite à voir les choses en face . . .

* Comparer avec le début de la lettre 15, 11 février.

Je sens augmenter mon attachement pour toi, et je me raidis. Plus je m'attacherai à toi, plus il sera pénible et long de me détacher ensuite. Par ailleurs, j'ai besoin de toi! de ta présence, de « ta » (avec des réserves mentionnées plus haut...) tendresse. J'ai vécu cette ambivalence, ce combat intérieur chez toi, mardi dernier. Mais pendant peut-être les dernières trente minutes de la rencontre, j'ai oublié toutes mes craintes, et j'ai vécu tout simplement le moment présent, acceptant à plein la pacification que tu m'apportais. Et j'ai été heureuse et libre... une demi-heure... Etant donné cette expérience, j'ai bien envie de désarmer, c'est-à-dire d'accepter tout simplement ce qu'il m'est donné de vivre, ce que tu m'apportes, de vivre à fond tout cela, sans me préoccuper de l'avenir ou tourmenter ma conscience. J'ai l'intuition qu'il s'agirait là de l'attitude la plus bienfaisante pour moi, en ce moment. Si je me trompe, je t'en prie, dis-le moi.

Tout cela n'est pas facile! Est-ce que, au fond, tout cela n'est pas artificiel? Tu fais comme si tu avais de la tendresse pour moi et moi, je suis dupe... pas tout le temps, malheureusement.

Voilà que je me sens agressive contre toi maintenant: pour toi, je suis un « cas » dans lequel il est amusant de retracer les réactions « classiques ». Tu me joues la comédie de la tendresse, je suis dupe et d'autant plus blessée lorsque je retombe dans la réalité. Et toi, tu t'en fiches puisque tu en sortiras indemne! Et je me sens terriblement dépendante de toi puisque j'ai peur, en t'écrivant ce qui précède, que tu me laisses tomber, car je préfère encore un leurre à rien du tout. Ne ris pas trop de moi: j'ai l'impression d'avoir mis devant toi mon âme à nu.

Lettre 6 — 5 décembre

Quel dimanche! Cet après-midi, j'aurais eu le goût de m'empiffrer, de voir un film ou de lire un livre porno; je me suis masturbée. Une fois cette fièvre un peu apaisée, je me retrouve dégrisée, triste et sans courage. Je voudrais que la rencontre avec toi soit plus proche pour essayer, avec toi, de comprendre ce que je vis actuellement. Seule, je n'ai pas le courage d'approfondir: j'ai peur de ce que je peux découvrir, sans doute. Si je t'écris encore, c'est pour suppléer à cette rencontre. Pourquoi suis-je ainsi? Pourquoi ce besoin de compensation? Après avoir vécu une « inter-rencontre » avec toi dans la sérénité et la paix, même dans ma chair, je me retrouve telle que j'étais avant d'aller te voir et cela me décourage. Je te fais perdre ton temps. Aussi bien abandonner! Pourtant!

Oui, pourtant, j'ai entrevu une libération. Libération suivie d'un enchaînement... En effet, je me sens attachée à toi. S'attacher dans le but de se libérer: c'est insensé!

Je voudrais, pour t'écrire, tout classer en moi pour te défiler tout cela en ordre. Mais je ne puis et je veux plutôt te dire les choses comme elles se présentent; tu m'aideras à classer.

Tu sais, j'ai peur! (Je suis venue tout près d'utiliser ton prénom, mais il ne passe pas encore le « barrage ». Tu me trouves peut-être stupide de te manifester ainsi tout ce qui se passe en moi. Je le fais par souci de collaboration, en ce sens que je considère un effort de « transparence » nécessaire à une thérapie; je le fais aussi parce qu'il me fait du bien d'être vraie avec toi.)

Pourquoi suis-je comme je suis? Je voudrais comprendre! Sans doute y a-t-il une compensation à une certaine angoisse, à preuve, je crois, ce que j'ai vécu hier. Sans doute y a-t-il aussi un manque de gratification dans ma vie professionnelle. Mais quand même: je t'ai dit que j'aimais enseigner. C'est vrai, mais si je fais appel à ce que j'ai vécu déjà, ce travail ne me comblait pas non plus, justement parce que j'étais, selon l'expression traditionnelle, trop repliée sur moi-même, parce que je n'étais pas assez libérée.

Après la deuxième et troisième rencontre avec toi, j'ai expérimenté une gratification, une joie, je me sentais comblée. J'avais pu être moi avec quelqu'un, je découvrais, j'expérimentais une tendresse, j'espérais une libération, je n'étais plus seule avec mes problèmes, des tabous étaient enlevés... Pourquoi ne suis-je plus ainsi maintenant? La libération ne s'opère pas aussi rapidement que je l'aurais souhaitée. Je voudrais être sûre de toi. Je le suis un peu, mais pas jusqu'au fond: je te dis ce que je vis, mais je me sens stupide, j'ai peur que tu me juges ainsi: je t'écris parce que j'ai le goût de le faire, mais je crains que tu trouves cela ridicule... Lorsque je considère ce que je vis avec toi, je me sens frustrée de n'être pour toi qu'une cliente alors que pour moi, tu es plus que le thérapeute. Je sais que cela doit être ainsi. Je serais tentée de dire que je vis une situation fausse mais je sais bien — dans ma tête — que c'est la vérité d'une relation thérapeutique. Le temps qui sépare nos rencontres est long, à mon point de vue. Quand je te quitte et que je ne te reverrai que dans deux ou trois semaines, je sais ce que je vivrai d'ennui, de goût de causer avec toi, d'impression de ne rien faire de bien, de perdre mon temps, etc ... Je pars déjà tendue (tu verras sans doute dans cette dernière raison un message pour toi. Je ne le fais pas dans cette intention, consciemment en tout cas. Je sais bien qu'il faut se plier aux circonstances. C'est peut-être mieux même que je ne te vois pas souvent. Mais je te dis tout simplement ce que je vis.) Je suis peut-être tout simplement instable. (Cette dernière phrase a ce sens-ci: « Je suis comme ça, qu'est-ce que tu veux? Il n'y a rien à faire »).

Tu deviens, pour le moment seulement, j'espère, le centre de ma vie: où est-ce que ça me mène? (Le « seulement, j'espère » ne va pas te paraître impertinent, n'est-ce pas? Tu sais bien pourquoi je le dis ...)

Voilà, je suis rendue au bout de mon introspection et sans doute, au bout de ta patience à me lire ... Je relis cette longue lettre. Je t'ai écrit avec beaucoup de spontanéité. J'ai dit des choses qui pourraient me « faire pendre ». Je ne te demande pas de déchirer cette lettre puisque je t'ai dit de faire de mes lettres ce que tu voudrais, mais ...

Au revoir; je voudrais être sûre jusqu'au fond! Merci de comprendre et d'être patient avec moi.

Lettre 7 — 15 décembre

Bonsoir.

Tu veux bien que je vienne causer un peu avant de me mettre au lit? Je voudrais te parler d'hier, de la façon dont je réagis à cette rencontre maintenant.

Je suis partie de chez toi pacifiée, détendue et pourtant, je n'avais pas tellement parlé. Je n'avais même pas dit tout ce que j'avais préparé, mais je n'étais pas déçue: ça n'avait pas d'importance. J'avais vécu deux heures avec toi, c'est tout. A l'exception des quelques minutes de panique coutumières du début, jamais je ne m'étais sentie aussi à l'aise.

Et même si je n'ai pas tellement parlé, j'ai l'impression que cette rencontre marque une étape dans la relation qui s'établit. Rassurée sur la vérité de ton attitude, je peux être vraie en toute sécurité, et c'est bon! Cette sécurité que j'éprouve avec toi me libère. Je puis ainsi considérer les autres points qui m'angoissaient avec beaucoup plus de sécurité. Je pense à la question de la masturbation, de ce qui va moins bien dans mon travail, etc. Je me sens comblée par ce que tu m'apportes. Je vis davantage à plein, peut-être un peu comme l'enfant qui découvre peu à peu qu'il est une entité différente et indépendante du décor, des personnes qui l'entourent. C'est une vie nouvelle qui s'ouvre à moi.

Le 16 décembre

J'avais sommeil hier soir, ce qui est rare. Sans doute est-ce encore un signe de libération: je suis moins inquiète, je me sens mieux avec moi-même.

Habituellement, la journée qui suit la rencontre est nulle pour le travail, je ne fais que penser à toi. Hier, au contraire, j'ai pu travailler, aller causer même avec V., avec R., ce que je me sens incapable de faire d'habitude. J'envisage même avec beaucoup plus de sérénité de passer trois semaines sans te rencontrer. Tu comprends quelque chose? Moi, pas trop ... Si, peut-être un peu: je me sens libérée de l'angoisse de n'être peut-être pas acceptée par toi, j'ai moins besoin de te revoir, en imagination, ou en réalité, pour être rassurée.

Par ailleurs, j'ai osé hier m'avouer quelque chose à moi-même, le regarder bien en face sans être désemparée: j'aurais le goût de faire avec toi l'expérience de l'amour physique. (Au moment où je t'écris cela, noir sur blanc, je m'affole un peu, j'ai peur de ce que tu vas penser; oui et non, je sais qu'avec toi, je peux regarder cela en face. Je serais plus à l'aise si tu n'étais pas concerné ...) J'ai choisi les termes que j'utilise. Je n'ai pas employé « faire l'amour » parce qu'il me semble qu'on ne fait pas mais qu'on vit un amour, qu'on l'exprime selon sa nature, son intensité. Je ne peux dire non plus: « J'aurais le goût de me donner à toi », ce ne serait pas vrai; je ne t'aime pas de cette sorte d'amour-là. Non, tout simplement, j'aimerais faire l'expérience de l'amour physique, un peu, ma foi comme j'aimerais visiter un pays dont on m'aurait vanté les attraits. Tu me trouves un peu cinglée? Le pire, c'est que je ne me sens plus coupable d'avoir de tels désirs et qu'ils ne me font plus tellement peur, maintenant que je les regarde en face, que j'admets leur existence en moi (« admets » dans le sens de « constate qu'ils sont là »).

Je ne t'aurais pas écrit cela au mois de septembre, ou même il y a quelques semaines; j'aurais refoulé bien au fond de moi ce désir dont j'aurais eu tellement honte. J'ai quand même pas mal changé, tu ne trouves pas?

Lettre 8 — 20 décembre

Après la rencontre, j'ai parcouru les magasins. Maintenant, je suis à souper dans un restaurant chinois très paisible.

Lorsque je suis partie de chez toi, j'étais assez perturbée encore, par ce que j'avais osé te dire. Mais actuellement, la paix se fait en moi, grâce à ce que tu as été, qui pénètre peu à peu en moi dans cette atmosphère « hors les murs » . . .

Je me faisais du souci pour ce que tu pourrais penser de moi. Lorsque je t'ai écrit, je l'ai fait dans le but de te communiquer ce qui se passait en moi, sans penser à l'invitation déguisée que ces mots contenaient. Mais ce qui est magnifique avec toi, c'est que tu parles si franchement. Je sais que je n'ai pas à redouter ce que tu penses. Je suis en train de croire en ton affection . . . C'est magnifique cette libération qui progressivement se fait en moi! Cet après-midi, à un moment, j'ai eu bien mal, mal à mon orgueil surtout. J'aurais besoin d'en reparler.

Lettre 9 — 22 décembre

Quelques heures de sommeil bien agité et me voilà de nouveau replongée dans la vie quotidienne avec ses problèmes.

J'ai beaucoup pensé à toi cette nuit. Il faudra que je te reparle de ce désir d'expérience d'amour physique dont il a été question dans ma dernière lettre. Je supporte encore très difficilement cette prise de conscience. C'est étrange ce que, en même temps, je ressens: la libération d'avoir été vraie, la gêne et la honte d'avoir osé te dire tout cela, l'embarras devant ces pulsions, l'impression d'affranchissement, de diminution de la peur parce que je les ai identifiées, etc.

Je dois beaucoup lutter pour ne pas me laisser aller à penser que tu dois me trouver folle, que je t'embête, etc. Ce n'était pas contre ces « mauvaises pensées » que je luttais avant . . . mais je crois qu'elles sont beaucoup plus néfastes que ces « classiques » mauvaises pensées.

Hier, surtout en quittant Montréal, voir les décorations et entendre les chants de Noël me faisait mal; je me sentais tellement peu à l'unisson. Mais Noël, n'est-ce pas précisément la fête du Sauveur, du Libérateur? Peut-être n'ai-je jamais été autant « à l'unisson », mais en profondeur, pas au niveau des sapins, du Père Noël et des cannes en sucre. Certaines joies sont très austères . . .

Lettre 10 — 26 décembre

J'éprouve, je te l'avoue, une certaine exultation à prendre conscience des changements qui s'opèrent en moi. Je me sens une femme!

De dix-huit heures le 24 à midi le 25, j'ai gardé un bébé d'un mois pour permettre à une de nos amies d'assister au réveillon familial. Un bébé délicieux! comme j'aimerais en avoir! Prendre conscience du désir d'avoir un enfant comme de connaître l'amour physique ne me peine pas, ne m'affole presque plus. J'ai l'impression d'expérimenter en moi une dimension, une richesse inconnue.

Tu m'as apprivoisée avec ta tendresse humaine: je l'accueille avec beaucoup moins de crainte.

Hier, je sentais mon amie B. plus tendue que d'habitude, je croyais être un peu en cause. Je suis donc allée lui parler tout simplement. Je suis moi-même surprise de cette démarche: avant, j'aurais pleuré et serais rentrée dans ma tour d'ivoire. Maintenant, je me sens assez libre intérieurement pour avoir le goût de tirer les choses au clair dans un affrontement loyal. Je me sens plus sûre de moi, ce ne serait pas une si terrible catastrophe si la rencontre tournait mal. Notre entretien, pénible au début, s'est terminé très amicalement. C'est bon, tu sais de s'entendre dire: « Une chance que je t'ai ». Si B. peut me dire cela, c'est bien parce que moi d'abord, une chance que je t'ai . . .

Si je te raconte tout cela, c'est que j'ai le goût de te mêler à ce que je vis.

J'ai sommeil! Je serais bien dans tes bras! (La censure ne joue presque plus à cette heure-ci) . . . Au revoir! avant que je t'écrive d'autres âneries.

Lettre 11 — 10 janvier

C'est bien moi, Hélène qui t'écris, mais je ne sais plus si c'est la vieille ou la nouvelle. La « vieille Hélène » exécute de ces sorties massives! J'aurais eu le goût hier de t'écrire pour t'en parler. J'ai commencé à le faire au cours de la nuit, mais je n'ai pas eu le courage de poursuivre, j'avais peur que tu sois « en maudit » contre la « vieille Hélène » que je perçois si liée encore à la nouvelle, que je me sentais menacée. J'ai d'ailleurs drôlement vécu cela dans un rêve le peu de temps où j'ai réussi à dormir.

Je ne me sens pas complètement en déroute, mais vraiment assiégée. J'appelle mon allié au secours... C'est surtout ma relation avec toi qui risque d'être battue en brèche. J'ai vécu une situation gratifiante avec toi... C'est trop beau pour être vrai! ...

J'ai cru, en examinant notre relation, être dans une phase de collaboration vraie: j'ai projeté ce que j'espérais qui soit... enfin tout est secoué en moi. J'aurais le goût de t'en parler pour voir avec toi ce qui est. Il y a aussi des questions que j'aurais spontanément désiré te poser dans les entrevues précédentes et que je n'ai pas osé énoncer: je croyais que ça ne se faisait pas. Bon Dieu! que je souhaiterais te parler maintenant!

Même si cette situation m'est très inconfortable, je ne la récuse pas. Je suis même contente de lui faire face avec toi. Ce sera un pas de plus vers une libération que je désire de tout mon être.

Comment vas-tu recevoir ce communiqué du front... de libération? Ça m'inquiète un peu, mais au fond je sais bien que tu ne me laisseras pas tomber.

J'ai soif de tendresse à en crier! Ça me prend aux entrailles! Je n'ai pas le goût de me masturber. Une épaule pour me blottir et deux bras pour me serrer... zut! (Je suis trop « bien élevée » pour sacrer...)

Je te quitte sur ces explosions. Tu imagines le reste de la bataille. C'est quand même bougrement bon de te savoir présent.

Lettre 12 — 25 janvier

En sortant de chez toi, hier, j'ai tout juste eu le temps d'arriver à la gare d'autobus et d'attraper une tasse de café. Je n'ai guère lu le livre que j'avais apporté, je me suis contentée d'être bien dans ma maison: je ne respirais plus de fumée au rez-de-chaussée, la fournaise chauffait bien, je n'ai plus peur qu'elle explose; j'avais ouvert avec toi bon nombre de petits caveaux et je ne m'inquiétais plus des nombreux sous-sols qu'il me reste encore à explorer.

La vieille Hélène n'est pas morte. Je l'entends bien piailler. Pour l'instant elle ne me dérange pas trop, d'autant moins que je réussis maintenant à l'identifier.

A ce moment même où je t'écris, je prends conscience d'une chose: lorsque je t'écris, j'ai le goût de discuter avec toi d'un tas de choses, d'explorer ma maison; lorsque j'étais avec toi, hier, par exemple, je n'étais pas très active dans l'exploration de mon monde intérieur: j'avais le goût de « prendre le temps de vivre, d'être libre », selon le chant de Moustaki. J'ai expérimenté une détente de tout mon être, de mon corps comme de mon affectivité, de mon esprit. La vieille Hélène me souffle bien que c'est du temps perdu. Tu parlais drôlement comme elle lorsque tu me disais hier: « Vous êtes sensuelle, madame »; (j'aurais dû te répondre: « Vous ne m'aidez guère à revenir à de meilleures dispositions, monsieur »). Seulement tu le disais avec une pointe de taquinerie qui m'a bien amusée; elle me le répète en me sermonnant. Mais au fond de moi, je sens que c'est très bien: mon être se déplie. Je ne me reconnais plus trop. Je ne veux pas m'inquiéter des changements qu'impliquera la découverte de mon être vrai. « Là où les vieilles pistes sont perdues, une nouvelle contrée se découvre avec ses merveilles. »

Je suis heureuse, tu sais. J'ai l'impression que le nouveau moi, le vrai moi est en train de s'épanouir. Tu as induit et tu soutiens cette germination . . . tu es ainsi drôlement proche et profondément cher... Cette affection même ne me fait plus trop peur: je m'aime presque d'être capable d'aimer! C'est bon de laisser monter en moi ce qui vient et de te l'exprimer sans avoir à censurer.

Lettre 13 — 25 janvier

Je me sens engagée avec toi dans une relation qui me ramène à la vérité de mon être, je pense que tu es vrai dans cette relation, je me sens devenir plus vraie: tout cela me paraît très beau, j'admire et je suis comblée.

Contrairement à ce que je savais d'une relation thérapeutique, je crois que celle que tu établis avec tes clients, tout en demeurant une relation humaine exceptionnelle par la communication profonde qui s'établit dans la vérité, l'authenticité, ne nous dépayse pas des relations humaines vers lesquelles il est possible de tendre. Elle me semble s'apparenter beaucoup avec l'amitié et, je dirais même, éduquer à l'amitié, à cause de cette auto-révélation que tu y introduis. A ce moment-là tombe la frustration d'une relation à sens unique, pour assurer le facteur si humanisant du partage. (C'est peut-être naïf de ma part de te dire cela.) Lorsque tu me dis un peu ce que tu vis, je me sens davantage une personne humaine. Je dirais: « Ça me valorise », mais pas dans le sens où je me croirais une personne exceptionnelle. Je suis émerveillée de la confiance que tu me fais, je n'en crois presque pas mes oreilles, je me sens comblée. Je crois que tu contribues ainsi beaucoup à me donner confiance en moi, à me redonner un amour de moi-même qui m'équilibre.*

Peut-être encore une fois, est-ce naïf de ma part de te dire cela? Peut-être n'est-ce de ton côté qu'une tactique? J'ai conscience en ce moment que c'est la vieille Hélène qui parle. Mais si c'était elle qui avait raison? Si la nouvelle Hélène était trop naïve, trop crédule? Je ne sais plus . . . mais je prends le risque de passer pour stupide.

Avec toi actuellement, j'oscille entre le désir d'être vraie jusqu'au fond et la crainte de ce que tu peux penser de moi. J'ai peur de m'être fourvoyée, de m'être imprudemment présentée à toi sans défense, de m'être laissée aller à t'aimer.

La vieille Hélène est presque morte de peur! La nouvelle voudrait vivre! Et pour cela, elle doit se fier à toi. Qui es-tu?

Au revoir, à vendredi. Je me sens tendue. Je redoute cette visite chez toi, et pourtant, j'ai hâte de te voir.

Lettre 14 — 31 janvier

Je suis bien dans ma maison, je peux donc davantage admirer le paysage. La montagne sous laquelle je croyais être vraiment écrasée hier me paraît beaucoup moins menaçante.

Dès hier soir, j'ai parlé avec mon amie. Je suis arrivée à elle en ayant soin d'enlever mon armure autant que je le pouvais: je n'ai pas reçu de flèche, je n'ai donc pas eu le goût irrésistible de la remettre.

J'ai compris pourquoi je lui parais menteuse: je perçois qu'elle me menace, elle veut tout savoir d'une façon qui ne me respecte pas, en ce sens que je me sens jugée, alors, je remets mon armure ou plutôt, j'entre dans ma maison et je referme la porte sur moi. Ça l'inquiète. Je brouille même la piste pour plus de sécurité. Avec toi je n'ai pas le goût du tout de le faire, car je ne te sens pas du tout menaçant, ni plein de suspicion. Je serais même très malheureuse de le faire: je n'ai vraiment pas le goût de te mettre à la porte de ma maison.*

* Comparer avec la lettre 12, 25 janvier.

* Comparer avec la lettre 15, 11 février.

Je suis un peu inquiète si je lui ai fait mal. Peut-être y suis-je allée à bras raccourcis, même sans armure: elle me semble vulnérable sous son apparente force volontaire. Pourtant au fond de moi, je ne sentais aucune agressivité, et cela à ma grande surprise. Je t'en reparlerai.

J'ai d'ailleurs un tas de choses à te dire. Mais je ne me sens pas sous pression. Au cours de la fin de semaine, sans trop que je m'en rende compte, je pense que j'ai changé. Hier après-midi, parfois, je me demandais si c'était moi qui vivais là, décontractée, heureuse. Il y a du soleil dans ma maison et autour de ma maison.

Lettre 15 — 11 février

Tu t'attends sans doute à ce que je te parle longuement de la rencontre d'hier. J'aurais le goût de le faire, bien sûr, mais je n'en ai guère le temps. De plus, ces longues lettres sont peut-être pour moi une échappatoire: il est moins gênant de te dire les choses par lettre que de vive voix.

Je suis sans doute sortie un peu déçue de la rencontre, mais pas décontenancée. J'étais très paisible pendant le voyage de retour, et cette nuit, j'ai dormi sur mes deux oreilles. J'aurais été d'abord portée à te demander de m'excuser de t'avoir fait perdre ton temps. Mais non, je crois que ce n'est pas du temps perdu. C'est une étape, et importante, il me semble, dans la relation. Tu as d'ailleurs compris avant que je le perçoive moi-même, ce qui se passait en moi. A la suite de nos rencontres, j'avais l'impression de t'avoir ouvert toutes les pièces de ma maison. Je m'y sentais plus sécure et même un peu épatée de ce que j'étais parvenue à découvrir, à accepter en moi. Je m'apprêtais à aller te reconduire à la porte. En effet, j'avais songé à espacer mes visites, j'entrevoyais la fin prochaine de cette relation. Tu as raison, je ne voulais guère aller plus avant, par peur de m'engager sans doute: la façon de paniquer devant le fait que tu avais vu tant de choses dans l'enregistrement* me le montre bien.

Mais non, Lucien. (C'est presque aussi difficile d'écrire ton nom que de le dire: c'est stupide!) Je veux aller plus loin et j'écris surtout pour te le dire, si toi tu le veux bien. Je n'ai pas l'impression que ce sera facile: jusqu'ici ce que nous avons visité ensemble chez moi,

---

* L'aidée avait fait parvenir à l'aidant une lettre enregistrée au magnétophone.

ce sont des pièces dont je savais l'existence. J'intuitionne qu'à partir de maintenant, tu m'amèneras peut-être à ouvrir des portes que j'aurais aimé autant laisser fermées . . . J'ai peur de perdre la face devant toi.

L'entrevue d'hier s'est passée pour moi, à supputer si j'avançais ou non, si je te permettais d'avancer ou non. Je ne l'ai pas compris sur le moment. Mais j'expérimentais un blocage. C'était un peu comme si je m'étais trouvée devant un tunnel tout sombre et je me disais: « Il n'y a rien à découvrir au bout, du moins rien d'intéressant, ça ne vaut pas la peine d'avancer et je n'ai plus, à l'entour, d'autres pièces intéressantes . . . pour distraire ton attention. C'est là qu'il faut s'engager. » Merci d'avoir respecté mon hésitation, car je me suis sentie profondément respectée. Eh bien! allons! Je sens que tu es profondément avec moi, avec mon nouveau moi. Je ne peux pas continuer sans croire à ton affection. Au fond, ça me fait peur. Mais je veux vivre avec cette affection que je reçois de toi, que j'éprouve pour toi. Lorsque j'essaie de me dépouiller de toutes mes craintes, je me sens enrichie, comblée, par cette affection.

Lettre 16 — 23 février

Je suis entrée à la maison à 3h.30, fatiguée sans doute, mais très paisible et heureuse. J'étais capable de songer avec sérénité aux pièces de mon château non encore explorées. Et surtout, je me sentais libérée. J'avais l'impression d'avoir vécu un peu comme un prisonnier dans les caves d'un vieux château, d'y avoir tourné en rond des années et soudain mes liens se sont dénoués, les liens de la peur: peur de moi-même, peur de ce que les autres penseront de moi s'ils me connaissent trop. C'est inédit pour moi ce que je vis, tu sais: tu me connais autant et peut-être plus que moi-même et tu ne me rejettes pas. Je pense que je suis en train de croire à ton affection. Car, tu sais, c'est vraiment nouveau, car depuis l'âge de 4 ans et demi, j'ai commencé à me dire: « Si mes parents me connaissaient telle que je suis, ils ne m'aimeraient pas. » Je crois que j'ai été torturée par cette crainte chaque fois que je me suis avisée d'aimer quelqu'un. Je n'avais jamais donné jusqu'au bout ma confiance, pas même à Dieu je crois. Pour le faire, sans doute avais-je besoin d'expérimenter ce don avec quelqu'un . . . Lucien, j'ai l'impression que tu vois au travers de moi et je me sens en paix parce que je me sens aimée . . .

Mon attitude face à moi-même change aussi. A venir jusqu'à maintenant, chaque fois que j'apercevais la porte de ces caveaux que je t'ai ouverts hier, je me sentais coupable. Je ne me sentais pas la force de corriger ces défauts et je n'osais donc pas les ouvrir. Maintenant, je ne suis pas en train de supputer ma culpabilité ni de me tracer un programme de redressement. Je pense tout simplement à reconnaître cette nouvelle zone de moi-même et à l'accepter. Je me regarde en paix. Il y a sans doute des choses que je voudrais changer, de l'ordre que je voudrais faire dans mes caveaux; je dois d'abord m'habituer à les voir, et accepter qu'ils soient tels qu'ils sont. Je ne me sens pas hantée par la culpabilité et c'est librement que je déciderai ce que j'en ferai.

Je suis bien en moi. C'est tellement bon de n'avoir rien à cacher, de laisser le soleil entrer partout. Merci d'avoir été si patient avec moi. Ç'a été très pénible, mais je me sens neuve maintenant.

Lettre 17 — 28 février

Je n'y tiens plus, je t'écris, mais par quoi commencer? J'hésite depuis un bon moment: je n'arrive pas à faire de l'ordre dans toutes ces émotions qui s'entrechoquent en moi. J'y renonce. Voici ce qui monte en moi; tu comprendras malgré le désordre.

Je m'ennuie! Je m'ennuie à en crier ... de toi évidemment. Ton souvenir me poursuit partout. Ça me rend agressive contre moi ... contre toi aussi: pourquoi favoriser l'éclosion d'un amour qui n'aboutit à rien, sinon à me faire souffrir, à me rendre ridicule. De tout cela tu te fiches bien. Je t'écris, quoi que ce soit que je te dise dans ces lettres, qu'est-ce que ça te fait à toi! Tu ne réponds jamais (je sais bien que ça doit être comme cela et ça me révolte).

Bien sûr que j'aurais envie que tu me rassures! Bien sûr que je souhaiterais que tu me dises que je suis pour toi plus qu'un animal de laboratoire! Bien sûr que je voudrais que tu répondes à mes lettres! Mais je sais que tu ne le feras pas parce que ça, ce n'est pas selon les méthodes thérapeutiques. Quel que soit l'état par lequel je passe, il faut être fidèle à sa méthode ...

Je suis probablement injuste en t'écrivant ce qui précède. Je n'en peux plus! Comprends-tu? Je t'ai dit la dernière fois: « Je t'ai donné tout ce que j'ai ». C'est vrai. Mais ne comprends-tu pas ce que cela suppose chez moi? Je l'expérimente, moi, actuellement, dans mon esprit, dans mon cœur, dans ma chair. Je n'en avais pas pris conscience avant: sinon je ne serais pas allée jusqu'à te donner toutes les clés. C'est tout mon être qui t'aime (ce n'est pas une demande déguisée d'exclusivité ou d'amour physique ou ... de ce que tu voudras. Je ne te demande rien parce que je ne dois pas le faire. J'essaye tout simplement de te dire ce que je vis.)

Est-ce que l'état dans lequel je suis vaut mieux que celui dans lequel je vivais avant d'aller te voir? Je me le demande ... Pourquoi as-tu accepté de me recevoir si tu prévoyais tout ce qui arrive, si tu prévoyais que je m'attacherais ainsi à toi? C'est presque de la cruauté! ...

Et je dois continuer à vivre ainsi chez moi, à l'université. Je vais devenir folle ou complètement découragée. Mais qu'est-ce que ça te fait à toi, que je te dise cela? Je réagis beaucoup: je suis un « cas » intéressant ... ou je réagis mal et ça n'est pas agréable pour un thérapeute. Aide-moi, je t'en prie. A qui veux-tu que je m'adresse sinon à toi?

Lettre 18 — 1er mars

Je ne sais trop comment traduire ce que je constate en moi actuellement. Je me sens pacifiée, j'ai moins peur. Et voici pourquoi, je crois: tu m'as exprimé un peu ce que tu es, tu deviens alors plus une personne, plus toi, et donc moins un type d'homme qui m'attire et me fait peur. Ce n'est pas clair ici, mais pour moi ça devient une évidence. Je crois que ce qui me fait peur, c'est ce qui monte et ce qui pourrait monter en moi d'affection refoulée, de besoin de tendresse, d'amour, masculin en particulier, refoulé chez moi depuis toujours. Depuis que je vis, je n'ai jamais permis à mon cœur d'aimer.

Tu vois la démarche: lorsque je suis stressée par mes études par exemple, je fuis vers des pensées plus agréables, je rêve de toi, tu deviens omniprésent. Mais c'est un « toi » pas trop individualisé, que j'ai difficilement, jusqu'à présent, désigné par ton prénom. Alors remontent en moi tous ces désirs enfouis, sous le flot desquels j'ai peur d'être engloutie. Mais quand je suis chez toi au bureau, ou avec toi comme hier, tu es toi, Lucien Auger, et ce n'est plus la même chose. Tu n'es plus « l'homme » que j'ai toujours eu peur d'aimer, que j'ai fui peut-être en demeurant célibataire, tu es toi. Je crois comprendre de ce fait pourquoi, lorsque je suis chez toi, je me sens en paix, aucunement troublée par l'affection que tu exprimes. Je ne parvenais pas à m'expliquer cela avant. Et lorsque, comme hier, tu te dis un peu toi-même, je te sens plus proche, mais en toute sécurité. Et moi-même, j'expérimente que je suis une personne humaine, une femme. J'ai l'impression que ça m'approfondit. Plutôt j'ai l'impression de toucher en moi une assise solide, enfouie sous un tas de sable mouvant. C'est très fugitif... c'est peut-être mon moi vrai que je sonde parfois comme cela.

La lettre que je t'ai donnée hier renfermait « des méchancetés ». Tu sais, je crois qu'en réalité elle ne s'adressait pas à toi, mais à cet « homme » que tu représentes lorsque je t'individualise moins, « cet homme » contre lequel je sens le besoin de me défendre parce que j'en ai peur.

C'est sans doute douloureux ce que je vis actuellement, mais je crois que c'est une étape nécessaire. En étant proche de moi, plein d'affection même, tu as ouvert, en ma maison, quelque compartiment pressurisé, qui risquait un jour de faire sauter toute la bâtisse. Cette porte entrouverte, tout ce qui sort de là, et surtout tout ce qui pourrait en sortir, me fait peur. Et je suis tentée de te dire: « Referme la porte au plus vite, je n'en peux plus. » Mais non, je pense qu'il faut tenir le coup. Merci de vivre cette expérience **avec moi.** Ce que j'éprouve actuellement envers toi s'apparente beaucoup plus à l'amitié, que je souhaite, qu'à l'amour, que je redoute.

J'ai l'impression de vivre actuellement le moment le plus important de la thérapie: la libération qui m'est le plus nécessaire est en train de s'accomplir en moi.

Suis-je en train de structurer une belle théorie pour me rassurer? Je ne crois pas. J'ai l'impression, en t'écrivant ainsi, d'avoir tout simplement identifié un peu ce qui se passe en moi.

Lettre 19 — 27 mars

C'est en faisant appel à tout ce que je peux trouver d'espérance que je te parle de joie et de lumière dans la carte qui accompagne cette lettre, car en moi... ce n'est pas la lumière ni le printemps, ni un flot de joie. J'aurais dû plutôt t'écrire le poème suivant de Tagore:

> « Je suis sorti tout seul pour aller à ce rendez-vous.
> Mais qui donc est celui qui me suit dans l'obscurité silencieuse?

Je m'écarte pour éviter sa présence mais je ne lui échappe
pas.
Il fait se soulever la poussière avec ses fanfaronnades. Il
double de sa voix bruyante chaque parole que je dis.
Il est mon propre moi misérable, ô Seigneur!
Il ne connaît aucune honte; mais j'ai honte de venir à ta porte
en sa compagnie.»

J'éprouve un besoin immense de tendresse, que je satisfais ... tu
sais comment. Je me dégoûte! A quoi auront servi toutes nos rencontres? Je me sens profondément découragée.

Aide-moi, je t'en prie! Réponds-moi! J'ai besoin de savoir que tu es
là, que je compte un peu pour quelqu'un qui me connaît jusqu'au
fond à ce moment où moi-même, j'aurais le goût de me détruire.

Lettre 20 — 28 mars

C'est encore moi! Quelle soirée et quelle nuit! Je ressens une telle
détresse en moi! C'est la semaine sainte et c'est Pâques dimanche...
Comprends-tu? Je me sens coupable à cause de la masturbation, à
cause des désirs de ma chair, de mon cœur ... toute cette culpabilité que je ne ressentais pas avant, se réveille maintenant.

Je me sens complètement bloquée pour le travail, travail à l'université, rencontres avec mes amies, correspondance et le reste, et il
faut que je ne laisse rien paraître. Je me sens désemparée.

Tu dois être ahuri que je vienne encore te casser les oreilles avec
ça. J'aurais eu le goût de te téléphoner, de te parler, mais je sais
bien que tu as autre chose à faire que de m'écouter te raconter ce
que tu jugeras sans doute des balivernes.

Dans mon intelligence, je sais que réagir ainsi vis-à-vis toi, me
laisser envahir par cette culpabilité, c'est régresser. Mais je le vis
dans mes tripes, grand Dieu!

Ma nouvelle Hélène a besoin de toi pour survivre et te crie au
secours. Mais peut-être est-ce attendre de toi une aide qu'on ne
donne pas à des clients mais à des amis. (Je t'écris cela sans malice
mais pour essayer tout simplement de traduire l'inquiétude, l'incertitude qui monte en moi. Je ne veux pas te heurter).

Pardonne-moi d'être ce que je suis.

Lette 21 — 28 mars

Je relis ce que je t'ai écrit ce matin ... Tu seras sans doute déçu de moi, de mes réactions. Je me sens partagée entre ce désir de ne pas te décevoir et celui d'être vraie avec toi. Et j'opte pour la vérité, tout simplement parce que je ne veux pas devenir folle tout à fait. Tu vois, ma réaction est toute égocentrique, mais je n'essaye même pas de me trouver des raisons altruistes: j'ai fini de jouer un personnage (avec toi au moins) et de courir désespérément après mon auréole.

Je suis à l'université depuis huit heures trente; j'ai travaillé un peu ... je prends conscience plus nettement d'une attitude négative latente en moi depuis quelques mois. Je me sens très mal à l'aise parmi mes professeurs et mes compagnons de travail: ils doivent se rendre compte que mon rendement est minable, j'ai honte de moi, je me sens inférieure. Et ça m'écrase, me paralyse. Aide-moi.

Lettre 22 — 2 avril

Joyeuse fête de Pâques, puisqu'il paraît que c'est Pâques aujourd'hui ...

Et moi, c'est loin d'être Pâques pour les raisons que tu sais. Mais pourquoi te raconter tout cela? J'ai tellement l'impression que tu t'en fiches, que je peux traverser n'importe quoi, si je frappe à ta porte pour demander du secours, puisque ce n'est pas le moment d'un rendez-vous, c'est inutile. Pendant le rendez-vous, bien sûr, tu es bien obligé de m'écouter, tu es là pour cela. J'hésite beaucoup à aller te rencontrer pour le moment prévu vendredi. J'ai cru en ta tendresse, en ton affection, mais rien de cela n'est vrai puisque tu restes sourd lorsque, désemparée, je crie vers toi.* Et si ce n'est pas vrai, je n'ai plus rien à te dire. Je ne sais pas encore ce que je ferai. Si je n'y vais pas, je téléphonerai en laissant le message à ta secrétaire si tu es trop occupé. J'ai mal à en crier!

Lettre 23 — 8 avril

Que te dire d'hier? J'ai impression d'en avoir rêvé des bouts, tellement je ne m'attendais pas à ce qui s'est passé et tellement aussi ta

---

* Comparer avec la lettre 24, 15 avril.

façon d'agir me déconcerte parfois, peut-être parce que tu es très simple. Actuellement, je me sens neuve: c'est peut-être l'expression qui traduit le plus ce que je vis au-dedans de moi. Neuve, c'est-à-dire plus libérée, avec un espoir nouveau de vie, une espérance plus grande, un désir ravivé de vivre selon mon vrai moi, une expérience nouvelle de ton alliance avec la jeune contre la vieille. J'expérimente que je ne suis pas seule dans cette recherche et dans cette lutte, je te sens tout à fait avec moi. J'ai la preuve que tu prends au sérieux cette alliance. Aujourd'hui c'est tout à fait comme cela que je le vois, je ne me sens pas chagrinée, insultée, ridiculisée. Comme tu m'as amenée à changer! Il y a quelques mois, je ne te l'aurais jamais pardonné: peut-être étais-je trop uniquement la vieille Hélène, cette dernière étouffant la nouvelle qui voulait vivre. Le reste de l'entrevue me laisse dans la paix, contrairement à ce qui s'est passé lors de la rencontre précédente: un tas de désirs étaient avivés en moi, désirs érotiques qui me culpabilisaient à mort.

Actuellement, j'ai l'impression de vivre une expérience formidable tout à fait unique. Et puis, est-ce du snobisme ou de l'orgueil, je ne sais, mais je me sens riche de cette expérience: c'est un peu comme si mon être était approfondi, comme si quelque richesse latente en moi était en train de se révéler, comme si une plante, trouvant un sol propice, s'épanouissait tout à coup. Je pense, à ce moment, à l'expression que tu employais: « mon arbre » est peut-être en train de développer de nouvelles pousses, des fleurs s'ouvrent peut-être, qui sait? Lucien, je suis vivante! Et cette vie en moi n'est pas pourrie. Je sais que ce que tu veux vraiment, c'est m'aider à vivre plus. Je serais tentée de te dire: « merci », mais ce n'est pas là une réponse adéquate au don que tu me fais. La réponse que cet être vivant que je suis a le désir de te donner, c'est justement de correspondre activement, « de combattre » avec toi. Je sens pour toi en moi une affection toute pleine de tendresse et de reconnaissance émerveillée et, à cause de cette affection, je me sens riche, pacifiée.

Hier tu m'as, j'en ai bien eu conscience, invitée à explorer les perspectives d'avenir. « Qu'est-ce que tu vas faire de ta vie? » Je ne me sentais pas disposée à répondre, pas par paresse je crois, peut-être parce que les émotions creusaient leur chemin en moi, surtout parce que je ne me suis pas encore assez trouvée: je venais de vivre deux semaines où j'avais vraiment l'impression d'avoir égaré mon vrai moi. Je dois l'identifier davantage. Nous y reviendrons.

Toute ma lettre te dit que dans la relation que tu as établie avec moi, je trouve la force de supporter et d'affronter la réalité. Je me sens épaulée, aidée, respectée et aimée. Même après l'entrevue d'hier, mon vrai moi se sent profondément respecté. Ta tendresse même, je la perçois comme pleine de respect, pas d'une sorte de respect tout cérémonieux: non, c'est quelque chose de tout simple dans ton attitude qui me fait comprendre que ma nouvelle Hélène a du prix pour toi.

J'ai l'impression de vivre un grand risque. Mais j'ai la force de le porter, de ne pas le laisser me paralyser complètement, parce que toi aussi tu le vis et l'acceptes. Et ça me fait du bien que tu me l'aies exprimé.

J'avais le goût de te parler très simplement de ce que je pense, de ce que je vis, de ce que je ressens. Peut-être n'ai-je jamais pu, avec autant de paix, regarder ce qui se passe en moi et te le décrire, écouter ce qui monte en moi et te le raconter.

Il est minuit. Il y a exactement 42 heures que je n'ai dormi: je suis morte! J'arrive des noces de mon neveu. Grosse rencontre de famille. Je me cherche encore dans ces circonstances. C'est avec beaucoup de circonspection que j'ose être un peu moi avec mes parents, intuitionnant qu'eux aussi découvrent en moi une personne qu'ils ne connaissaient pas. Ils s'étaient fait une tout autre idée de leur sœur, ou de leur tante, ou de leur fille.

Dimanche matin

Je me suis endormie sur ces dernières phrases hier soir. Mais je voulais te raconter quelques incidents avant de terminer. Au cours de la veillée d'hier chez mes parents, à un moment, j'ai vraiment été tentée de manquer de simplicité. Cependant je constate que j'en suis arrivée à beaucoup plus de spontanéité dans mes gestes d'affection avec les autres, particulièrement avec ma famille. Il y a bien la vieille Hélène qui m'incite à ne pas étonner et qui m'inquiète. Mais je l'envoie paître. Je me sens alors moins étrangère et plus vraie. C'est un peu comme si j'abandonnais un travesti qui m'étouffe pour vivre. J'ai encore bien des masques et des jupons à quitter. Qui est-ce que je trouverai au fond de tout cela? Le sais-tu, toi?

10 avril

Un dernier mot avant de t'envoyer ces épisodes de conversation que je poursuis avec toi. C'est lundi, le « premier des jours qu'il me reste encore à vivre »... J'ai l'impression d'avoir quelque chose à construire.

Je voulais te dire ceci. Vendredi soir, j'étais un peu gênée, mal à l'aise de sortir de ton bureau en me trouvant face à face avec ta secrétaire (je suppose). Nous avons un peu causé et je suis contente: je serai moins gênée, j'aurai moins l'appréhension de rencontrer des personnes dans les corridors quand je vais te voir. Ça me libère de cette crainte.

Lettre 24 — 15 avril

Merci de m'avoir reçue aujourd'hui. Quand je pense à la journée que tu as passée! Merci d'être là quand j'ai besoin de toi... Par rapport à la vérité de la relation avec toi, mes doutes en sont ébranlés ou plutôt, ma foi est confirmée car, même si ma confiance oscille peut-être sous les attaques de Hélène la vieille, elle est, bien sûr, plus grande que zéro.

Elle s'est montré le nez pendant l'entrevue, cette horrible vieille, tu l'as aperçue? Elle a douté aussi, mais cela je te l'ai signalé quand je l'ai senti en moi.

Je suis partie de chez toi avec un peu de regret: j'ai l'impression de ne pas avoir été vraie, en ce sens que je ne t'ai pas dit jusqu'au bout ce que je pensais et cela à plusieurs reprises. Je n'ai rien dit qui soit faux, mais ce n'est pas suffisant. Ce qui aurait voulu monter en moi était bloqué par la crainte d'être jugée ridicule. Ah! cette vieille!

Tu t'es rendu compte à quel point j'avais soif de tendresse? Lequel de mes « moi » en est responsable? J'aurais dû te communiquer sur place ce que je vivais aussi par rapport à cela. Cette soif insatisfaite créait chez moi une tension, un sentiment de culpabilité aussi, qui m'empêchait de te dire ce qui montait en moi.

Samedi matin

Lorsque je te verrai, j'aimerais reprendre cette lettre avec toi, contrairement à ce que je souhaite d'habitude. Je voudrais discuter de quelques points que j'y signale. Même si je ne suis pas complètement en possession de mon vrai moi, même si je n'ai sans doute pas encore visité toutes les pièces de ma maison, j'aimerais ouvrir de nouvelles portes, si tu crois, bien sûr, que ce n'est pas prématuré. J'aurais eu le goût d'en parler dès hier, mais je n'ai pas osé. J'avais peur que tu me trouves stupide et naïve.

Décidément, la vieille Hélène aurait bien mérité une paire de claques: je me rends compte maintenant qu'elle a été là presque continuellement. T'ai-je finalement fait part clairement de l'inquiétude qu'elle m'avait mise en tête au cours de la semaine? Non? Voici: « Tu es stupide d'accepter cela; tu sers de cobaye: il (toi) essaye sur toi des façons de procéder pour voir si cela est efficace. Si oui, cela confirme ses hypothèses, si non, tu en porteras les perturbations. C'est la même chose pour l'affection qu'il (toi) te témoigne. Cela exacerbe en toi une soif qui est déjà pourtant assez vive. Qui risque en cela? toi, qui te trouveras déboussolée lorsqu'il faudra cesser la thérapie. Tout cela ne sert qu'à vérifier ses (les tiennes) hypothèses. »
Imagine toutes les pensées du même acabit que cette vieille fait tourbillonner en moi pour m'affoler.

Je trouve cela agréable et détendant de pouvoir te dire ainsi le fond de ma pensée. A faire des choses qui ne se font pas, à dire des choses qui ne se disent pas, c'est un peu comme si j'étais complice avec toi contre ma vieille Hélène, contre les gens trop stéréotypés qui m'entourent. C'est bon, tu sais, de me sentir de connivence avec toi pour me débarrasser de mes entraves et courir libre dans un monde où sont reconnues comme valables les richesses toujours suspectées ou minimisées: l'affection, la poésie, la musique, la nature, le corps même, et pas uniquement la raison et le rendement.

Lettre 25 — 28 avril

Un mot, si tu le veux, peut-être deux, avant de me mettre au travail. Ce serait vraiment trop extraordinaire si, après une entrevue, je ne venais pas te faire part de ce que je vis par rapport à cette rencontre. D'ailleurs, ne pas le faire, pour moi à ce moment, ce serait céder à la vieille Hélène.

J'aurais eu le désir de te dire, hier, bien des choses, mais j'étais trop perturbée. Tu sais, à certains moments, je t'ai presque détesté. Je ne me comprenais plus intérieurement. Une fois pendant l'entrevue, je t'ai menti, consciemment ou presque: lorsque tu m'as demandé si je pensais à toi en me masturbant. Il m'arrive en effet de temps à autre de le faire, mais j'en ai tellement honte, je me sens si malheureuse en dedans de sentir en moi de tels désirs, que j'ose à peine me l'avouer à moi-même. Tu sais, c'est tout moi que je te donnerais; peut-être serait-ce plus juste de dire que c'est tout toi que je demanderais... J'ai peur de sentir monter ces désirs en moi et encore plus de te les exprimer. Ce n'est pas une demande que je te fais, c'est ce que je vis que je te dis.

Lucien, qu'est-ce que je découvrirai en te laissant me conduire par ces chemins? Bien sûr, j'ai voulu faire l'ange et j'en étais presque déboussolée. Je réapprends à découvrir mon corps, ma sensibilité de femme, mon affection, ma sensualité etc. Je dois maintenant accepter ce moi vrai qui détrône ma vieille Hélène. J'oscille, un peu comme un pendule, entre ces deux « moi »; chez toi, avec une période de deux heures; entre nos entrevues, la période est de deux semaines. Soit le point 1 pour la jeune, et 3 pour la vieille.

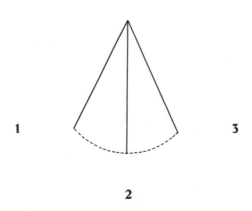

Lorsque j'arrive chez toi, je suis en 3, je repars en 1 et je reviens lentement en 3. C'est amusant en graphique, c'est moins gai à vivre. Regarde ce que tu as fait de moi! J'étais une femme polie avant, orthodoxe dans ses paroles, qui ne disait pas ce qui était inconvenant... je suis sûre que tu n'as pas une seconde de repentir, tu te réjouis même ... et moi aussi, au fond.

Pour en revenir aux choses sérieuses, je dois te dire que j'ai le mal de mer de vivre dans ce roulis. Entre autres choses, ce que je vis cadre mal avec les principes que l'on m'a toujours enseignés. Ce que je vis vraiment, c'est encore cette ambiguïté par rapport à ma vieille et à ma nouvelle Hélène: la vieille joue une sarabande de reproches culpabilisants à la jeune: la jeune n'a pas encore le courage de refuser catégoriquement de danser sur cette sarabande. Je dois agir selon mon vrai moi et non selon ma vieille Hélène et donc, je n'ai pas à m'accuser de choses que ma vieille me reproche alors que ma jeune les trouve excellentes, normales, selon mon être profond. C'est plutôt de malmener mon vrai moi que je devrais me reprocher. Même si ma vieille Hélène me dit que je suis naïve, au fond de moi, je ne crois pas que tu souris. Je crois que tu respectes ce que je vis et par dessus tout, les efforts de libération que tente ma jeune Hélène. Je ne sais pas me laisser aimer et j'en ai un besoin immense! Avec toi, c'est peut-être cet apprentissage-là que je fais. Aussi loin que je remonte dans mes souvenirs, je ne me souviens pas d'avoir été sûre de l'amour de quelqu'un.

Il va me falloir travailler doublement maintenant pour reprendre ce temps perdu? Je ne le pense pas. Et toi?

Lettre 26 — 2 mai

Je t'écris, non pour affaires, non pas parce que j'ai des choses très importantes à te dire, non plus parce que ça ne va pas, mais tout simplement parce que j'ai le goût de causer avec toi, j'ai le goût d'être avec toi. Ma vieille Hélène trouve que c'est stupide, inutile, sentimental, et donc mal. Ma jeune Hélène a décidé d'être tout simplement ce qu'elle est, même affectueuse et sentimentale, mais oui!

La fin de semaine a été paisible. J'étais en vacances ... Dimanche, concert de musique de chambre. J'aurais aimé que tu sois là pour entendre le cinquième concerto Brandebourgeois de Bach, un concert de Rameau, un divertimento de Mozart, etc ... j'aurais été comblée jusqu'au fond ... si tu avais été là. Oui, je le constate, j'aurais le goût de partager avec toi ce qui est beau, ce que j'aime. Cela devrait peut-être m'inquiéter. La peur ne me mènerait à rien. Je constate assez paisiblement que cet ... amour (car j'ai bien l'impression qu'il s'agit d'amour), est en moi.* J'espère qu'il évoluera en une amitié qui te laisse être toi et qui me permette d'être moi.

* Comparer avec la lettre 29, 29 mai.

Comment? Je ne sais pas. Quoi qu'il en soit, je suis heureuse de vivre ce que je vis. J'ai l'impression d'avoir commencé à vivre depuis quelques mois seulement, à vivre selon le moi que je suis, que je retrouve en me libérant de tous les masques, travestis, revêtements plus ou moins blindés, imposés par le milieu, les coutumes, la morale, et le reste. Je t'en ai déjà parlé d'ailleurs, Lucien, je vis! Je vis éveillée! Je n'ai plus l'impression de rêver ou d'être somnambule.

4 mai

C'est l'heure du casse-croûte avant d'entreprendre l'après-midi. Je n'avais pas cacheté ma lettre, je la relis donc avant de te l'envoyer.

En moi, il se déroule actuellement un vrai combat... tu dirais: entre ma vieille et ma jeune Hélène; pour moi cela m'apparaît être entre le bon sens et la naïveté, l'illusion. J'ai tellement l'impression que tu dois, ou bien sourire, ou bien être agacé quand une de tes clientes t'écrit comme je viens de le faire: « J'aurais le goût d'être avec toi... j'aimerais partager avec toi ce que je trouve beau, ce que j'aime... ce que j'éprouve pour toi, je crois que c'est de l'amour... » etc. C'est fou, n'est-ce pas? Tu dois me trouver névrosée. Pour toi, des clientes, c'est quoi? Des personnes humaines diminuées, qu'il faut bien prendre en pitié, dont il faut bien accepter l'affection comme un mal nécessaire, même si c'est agaçant, parce qu'on ne peut les aider sans cela?

A ce moment-ci, je prends conscience de ce que je souhaiterais et, par le fait même, de ce que je crains qui existe. Je crains que tu ne me considères comme une personne humaine diminuée, infirme, de quelque façon. Tu me regardes du haut de ta force, de ton équilibre psychologique. Je m'en sens écrasée et toute triste. Je souhaiterais au contraire vivre avec toi une relation humaine vraie, qui implique que l'on se sente sur un certain pied d'égalité, que l'on puisse aussi communiquer ce que l'on vit l'un par rapport à l'autre, fût-ce même de l'amour. Ce doit être stupide d'espérer cela.

Eprouver pour toi de l'amour m'apparaît comme une faiblesse que j'exprime, mais dont j'ai honte. Je me suis depuis longtemps maudite d'avoir du cœur; je croyais que ce sentiment d'infériorité était disparu. Je l'éprouve maintenant profondément.

Pourtant non! Mon vrai moi n'est pas cérébral! Et vivre selon ce moi, c'est aimer, pas comme un chien aime son maître, mais comme une personne humaine aime une autre personne humaine et, par rapport à toi, comme une femme aime un homme! Au fond, si je veux reconnaître le désir qui monte en moi: je souhaite que cela soit réciproque. Voilà ce qui ne me semble pas possible. Et si c'est impossible, inutile de continuer de te rencontrer. En effet, lorsque je vais te voir maintenant, ce n'est pas tant pour chercher la solution à tel ou tel problème concret, pour connaître telle zone de moi-même. Ce que je souhaite, sans me l'avouer toujours, c'est vivre une expérience d'amitié humaine vraie, (c'est-à-dire d'amour humain vrai sans exclusivité), qui implique que j'aime et que je sois aimée. J'ai l'impression que c'est là ce qui apporte une vraie liberté. Si je veux faire le point actuellement, j'aime. Mais je souhaite, sinon l'exclusivité, du moins la primauté. (C'est pénible d'être lucide); de plus je ne suis pas sûre que je puisse attendre de toi une réciprocité. Ta tendresse me comble temporairement, mais elle me blesserait profondément si elle ne correspondait qu'à de la pitié ou à une tactique. Lucien, je me permets de te poser directement la question. Tu m'as apporté beaucoup depuis que je te rencontre; cette « vie éveillée » dont je te parlais au début, malgré ce que je viens de t'écrire par la suite, je l'expérimente quand même. Mais est-ce que tu penses qu'une amitié vraie entre toi et moi soit possible? (J'hésite beaucoup à te poser cette question parce que j'ai l'impression de demander beaucoup plus qu'une cliente peut attendre du thérapeute).

Cette attente que j'exprime ici en mots précis, tu sais qu'elle est en moi, tu l'as sûrement déjà perçue. Je sais que l'amitié ne se commande pas, ne se quête pas, ne se paye pas. C'est un don que l'on reçoit avec une reconnaissance émerveillée.

J'aimerais te reparler de tout cela. Sans doute une certaine « pudeur » me gêne-t-elle pour te dire en face ce que je viens de t'écrire. Mais je souhaiterais dominer cette gêne et regarder en face ce que je vis par rapport à toi.

J'essaye de t'imaginer en train de lire cette lettre. Comme je voudrais savoir ce que tu penses vraiment. Me le diras-tu?

Lettre 27 — 14 mai

C'est en tournant le dos à ma vieille Hélène que je te rejoins. Quels assauts j'ai subis cet après-midi! Je revois l'entrevue de jeudi, j'anticipe celle du 25, partagée entre la crainte, la hâte de te revoir, le désir de me libérer. Je t'écris pour me replonger dans la réalité, puisque tu es pour moi de plus en plus toi et que ma jeune Hélène veut te faire confiance.

Le combat est rude, mais je ne suis ni désarmée, ni prête à hisser le drapeau blanc. Je crois avoir découvert la tactique de ma chipie de « vieille »: jeter de la boue sur ce qui s'est passé entre nous de si simple et de si libérateur. Bah! qu'elle poursuive son intamarre, moi, j'ai le goût de venir te dire que je suis toujours heureuse et pleine d'espoir.

Je veux bien te suivre, plutôt marcher avec toi, par des chemins que je renonce à identifier. Oui, finies mes recherches dans les bouquins de psychologie: je ne trouve rien d'analogue et je prends panique. Je veux vivre, tout simplement! Même si des avenues tout à fait inattendues surgissent. Avec toi, je crois bien qu'il faut s'y habituer: « Là où les routes sont tracées, tu perds ton chemin . . . »

Je suis un brin romantique ce soir, mais je sais que tu m'acceptes comme cela. Ma redécouverte de Tagore, de Verlaine, etc..., s inscrit dans le processus de libération de mon vrai moi. J'ai toujours aimé la poésie, j'ai toujours vibré à la musique des mots comme à celle des orchestres, mais je devais le faire presque à la sauvette, surtout, je ne rencontrais personne qui soit sur la même longueur d'onde: une femme sérieuse ne doit pas perdre son temps à lire des poèmes; si elle le fait, elle est, ou désœuvrée, ou un peu timbrée ou per-vertie!

Je ne t'écrivais que pour te dire cela, parce que j'avais le goût d'être un moment au moins avec toi, et je sais que c'est valable, quand ce ne serait que pour le pied de nez que nous faisons ainsi à ma vieille.

Je sais que la bataille n'est pas terminée, je prévois que les moments qui me séparent de la prochaine entrevue seront pénibles.

Je souhaiterais te rencontrer dès cette semaine. Ma jeune Hélène a peur! En tout cas, tu verras ce qui subsistera de la vieille . . . ou de la jeune . . .

Lundi matin

Hier soir, je t'exprimais avec hésitation un souhait qui est très évi-dent en moi et auquel je veux faire face en te l'exprimant claire-ment: je souhaite te rencontrer dès cette semaine, si tu le pouvais, parce que le combat n'a jamais été aussi ouvert entre ma vieille et ma jeune Hélène et que je sens le besoin de ton aide pour tenir; parce que, aussi, j'ai hâte de démystifier tout ce dont mon imagina-tion s'empare en le galvaudant. J'ai peine à me mettre au travail, il faut que je me fasse violence: je voudrais me libérer de tout cela.

Je te demande donc tout simplement une rencontre de plus. Mais tout cela, c'est si tu le peux et/ou si tu crois que c'est bien pour moi. Ma vieille me dit, en ce moment, que je ne devrais pas te faire cette demande, que je le fais pour des raisons que je n'ose pas avouer. Ma jeune veut l'envoyer promener: je le souhaite, je te l'exprime, pourquoi pas? Si tu ne le peux, j'essaierai de tenir, c'est tout.

Lettre 28 — 19 mai

Je n'ai guère eu le temps de penser depuis le matin: le travail était urgent. Mais hier soir, et encore maintenant, lorsque je m'arrête, je me sens en paix profondément, encore plus que jeudi dernier. Te dire, dès hier soir, comment j'avais vécu la rencontre m'a fait beaucoup de bien. Les désirs que je sentais en moi, une fois reconnus et acceptés comme miens, ne m'ont plus fait peur. Si bien que maintenant, ils ne me tourmentent plus.

Merci d'être aussi délicat et respectueux de mes lenteurs. Avec ma tête hier, j'aurais souhaité que tu franchisses plus vite les étapes pour en finir enfin avec cette libération. Mais toute ma sensibilité risquait de se cabrer. Si tu avais passé outre à ces réticences, j'aurais peut-être été contente d'une certaine façon, mais peut-être blessée au fond de moi-même.

Tu le remarquais toi-même hier soir, je n'aurais jamais osé poser certains gestes très prosaïques, paralysée par la crainte de paraître ridicule.

Je me sens de mieux en mieux dans mon corps. Comprends-tu ce que cela peut représenter pour moi? J'ai toujours tellement eu honte de moi! Et plus je vis cette libération de la honte de mon corps, moins j'ai envie de me masturber. C'est du moins ce que je crois commencer à percevoir. La masturbation a été pour moi comme une satisfaction au rabais accompagnée de fuite du monde réel. Je n'ai plus le goût de lire des petits romans ou des livres porno et Dieu sait si j'en ai eu le goût depuis deux ans, pour satisfaire encore une soif inassouvie. Et tout cela parce que, dans le réel, je vis des situations comblantes: j'étais bien avec toi hier soir, j'ai le goût d'y repenser, oui, mais non pas de me servir de ce souvenir comme point de départ à une rêverie lubrique. Tu m'acceptes comme cela? J'ai besoin de le sentir pour en arriver à me détendre. Je crois que l'activité masturbatoire et la nervosité diminuant, tout redeviendra normal peu à peu.

La vieille Hélène vient tout juste d'effectuer une courte sortie: elle me suggérait de déchirer cette lettre trop prosaïque. Je n'ai pas la tête à faire de la littérature ce matin: je suis fatiguée physiquement. Mais je me sens bien. V. me disait au déjeuner que j'avais l'air « toute fraîche, toute neuve ». C'est ce que je vis au-dedans de moi. Je suis heureuse comme jamais je ne l'ai été, pas excitée par des événements ou des joies extraordinaires, mais libérée, confiante de progresser dans cette libération, pacifiée. Je ne suis pas une âme ambulante tyrannisée par un corps méprisable, mais une personne en voie d'unification.

Puisque tu reçois cette lettre, tu constates que je n'ai pas faibli devant les intimidations de ma « vieille ».

Lettre 29 — 29 mai

Je voudrais pouvoir t'exprimer ce que je vis, depuis le 25 surtout, mais j'ai peine à le découvrir moi-même. Je te sens loin, un peu comme étranger. Je dois constamment me raisonner pour me dire que, par exemple, si tu me dis que tu m'aimes bien, que tu es heureux de me voir, c'est vrai, tu ne le dirais pas si tu ne le pensais pas. Mais je ne le sens pas. Je me sens seule! (Ce n'est pas pour dramatiser que je t'écris cela. J'essaie simplement de traduire en mots pourquoi je ne me comprends plus trop). J'ai le goût de prendre des compensations qui me laissent désemparée; lire des livres porno, et j'en ai lu; me masturber, et je l'ai fait depuis jeudi.

Oui, je me sens seule: voilà sans doute ce qui traduit le mieux ce que j'éprouve intérieurement. Je ne trouve personne pour qui je compte vraiment. Ma famille? Même si mon frère et ma belle-sœur, chez qui je suis allée jeudi soir et vendredi, sont très gentils avec moi, ils ont leurs préoccupations et surtout, je ne puis partager avec eux ce que je vis . . . Avec toi . . . ce n'est guère mieux: je suis une cliente. Je ne puis te reprocher de n'être pas tout présent lorsque je suis là. Mais tu reçois tant de personnes! Peut-être me diras-tu que je suis en train de te demander un amour exclusif? Il me semble pourtant que non. Un amour unique? Oui: ça ne me dit rien d'être aimée « en série » . . . Je sais que je te déçois en t'écrivant cela et je serais tentée de ne pas t'envoyer cette lettre pour ne pas provoquer cette déception. Mais je le sens trop profondément pour le taire, je me sentirais fausse de ne pas te dire tout cela et de faire comme si rien n'était. Tu incrimineras ma vieille Hélène . . . J'ai besoin de sentir que je compte pour toi! J'ai besoin de croire que ta tendresse correspond à une affection réelle.

A mesure que j'essaie de t'exprimer ce qui monte en moi, je crois que je me comprends mieux.

Ainsi, je me rends compte que peut-être j'en suis venue à te sentir loin, quasi étranger, parce que moi-même, au cours des dernières rencontres, je t'ai moins considéré comme une personne unique mais comme un homme à travers qui je me découvrais. J'ai honte de te le dire et je t'en demande pardon: je prends conscience actuellement que je t'ai considéré presque comme un objet, qui m'aidait sans doute à dépasser mes complexes. Tu l'as sans doute perçu puisque vendredi, tu me disais quelque chose comme ceci: « Pourquoi n'as-tu pas exprimé ce que tu désirais, sans en avoir honte (...) Nous sommes deux personnes en cause. Je ne suis pas un arbre, une chose. » Ce n'est sans doute pas textuel, mais je crois que c'est l'idée que tu exprimais, du moins celle qui m'a frappée et qui me trotte dans la tête depuis ce temps.

Lucien, j'ai besoin d'apprendre à aimer. Depuis quelque temps (je ne peux rien dire de ce qui était avant, parce que je ne sais pas en juger), c'est moi que j'aime à travers toi: tu as été pour moi quelqu'un qui compte pour ce que tu m'apportes et non pour ce que tu es. Apprends-moi à aimer! J'ai cru t'aimer avant, je me suis aimée à travers toi. Je serais tentée de dire: « C'est terrible, j'ai honte », et de refuser de regarder la réalité. Mais non! voilà ce que je suis!

Cette prise de conscience ne me décourage pas. Au contraire, je trouve cela merveilleux de la faire enfin. Je n'ai jamais jusqu'ici aimé vraiment, même pas Dieu, malgré ce que j'ai cru. Je découvre qu'à travers ce que j'ai cru être de l'amour, je me suis aimée moi-même. L'amour des autres, non pour soi, mais pour eux-mêmes, est-ce que ça existe? C'est ce que j'attends des autres, est-ce que je puis le donner? C'est ce que j'attends de toi. Est-ce que je puis t'aimer ainsi? Apprends-moi!

Celle qui commençait cette lettre et celle qui la termine n'est plus tout à fait la même personne. Je t'envoie pourtant tels quels ces paragraphes où tu pourras suivre l'évolution qui s'est faite en moi. Je me sens libérée, un peu comme la nature après un gros orage; quelques arbres sont peut-être cassés, quelques statues démolies, des chemins ravinés par l'eau; mais tout est lavé, l'air est plein de senteurs, c'est l'espérance d'une croissance plus rapide, d'un renouveau de tout ce qui vit.

J'ai hâte de te revoir. J'ai l'impression que ma relation avec toi est toute neuve, que celle que tu as établie avec moi tient le coup à tous ces orages. Puissé-je un jour dire, en vérité: « notre relation » . . .

Lettre 30 — 3 juin

As-tu mesuré jusqu'à quel point c'est exigeant, ce que tu me demandes? J'en prends conscience parce que j'ai eu plusieurs occasions d'être vraie depuis quelques heures. Je ne les ai pas manquées, quoi qu'il m'en ait coûté. Bien sûr, je suis déjà comblée par cette libération que je sens en moi.

Et je t'envoie deux livres . . . Ça, c'est une victoire! Lorsque l'idée me venait de t'en parler, je la repoussais bien vite: « Non, cela, jamais! » Hier, je te donnais comme exemple de livres que je qualifiais de « porno », les œuvres de H. Miller; c'était vrai, mais je choisissais là les plus « nobles ». J'avais lu: «V . . . » avant que je commence à te rencontrer. Tu comprends pourquoi j'étais effarée au début et sans doute aussi pourquoi il était plus sécurisant pour ma vieille Hélène de te dépersonnaliser. Lorsque, cette nuit, je pensais à la rencontre d'hier, j'avais envie de me révolter parce que tu as « poussé » un peu fort: tu exiges que je te dise tout. C'est ma « vieille » qui se révolte. Ma « jeune » veut de toutes ses forces devenir, avec toi, complètement transparente, tu le sais, je sais que tu sais que je le sais. Et au fond, je me sens profondément respectée, aimée, lorsque tu agis ainsi avec moi. J'ai le goût de te citer ici un texte de Khalil Gibran, texte que tu connais sans doute, mais auquel je ne peux pas ne pas penser lorsque je touche de plus près la vigueur de ton affection:

> « Car de même que l'amour vous couronne, il doit vous crucifier. De même qu'il est pour votre croissance, il est aussi pour votre élagage.
>
> De même qu'il s'élève à votre hauteur et caresse vos branches les plus légères qui tremblent dans le soleil, ainsi pénétrera-t-il jusqu'à vos racines et les secouera dans leur attachement à la terre.
>
> Comme ces germes de blé, il vous emporte. Il vous bat pour vous mettre à nu. Il vous tamise pour vous libérer de votre bale. Il vous broie jusqu'à la blancheur. Il vous pétrit jusqu'à ce que vous soyez souples; et alors, il vous livre à son

feu, pour que vous puissiez devenir le pain sacré du festin de Dieu.

Toutes ces choses, l'amour vous les fera pour que vous puissiez connaître les secrets de votre coeur et devenir, en cette connaissance, un fragment du coeur de la Vie. »

Merci, Lucien, pour ton amour très fort, mais en même temps si délicat. J'ai le goût de te dire combien j'apprécie cette délicatesse chez toi. Tu as touché en moi ce qu'il y avait de plus sensible, de plus fragile, mais jamais tu n'as rien blessé ni brisé. Si bien que je n'ai plus le désir de dérober, de cacher quoi que ce soit. Ma vieille regimbera... Tu m'aideras à la mettre dehors...

4 juin

Hier soir, j'ai commencé à « faire le devoir » que tu m'as suggéré. Ce n'est pas facile! J'ai tendance à mettre en évidence mes victoires. Même à mon insu, spontanément, je tends à oublier mes défaites; je dois vraiment faire effort pour me souvenir de mes manquements et n'avoir aucune pitié de moi-même. Quoi qu'il en soit, je prends note de tout. Je tiens à te faire remarquer que, lorsqu'il s'agira de faire le bilan, une simple somme mathématique ne serait pas équitable, certaines défaites peuvent être de plus grande importance comme aussi certaines victoires supposent un plus grand courage. Il faudra pondérer.

Ces dernières phrases sont un peu de la rhétorique: ma récompense, je la trouve dès maintenant dans cette libération que j'expérimente, dans ce regard plus positif que je puis porter sur moi-même. Ces avantages sont suffisants pour que j'aie le goût de déployer ces efforts. Mais j'ai beaucoup de reconnaissance pour toi dont l'affection me permet de m'y rendre avec plus de joie tout en venant soutenir ma constance.

Tu sais, lorsque je réfléchis à ma relation avec toi, je constate que tu m'es extrêmement précieux. Si tu me laissais tomber, j'en serais brisée. Mais si les circonstances ne me permettaient plus de te rencontrer, j'en éprouverais une très grande peine; mais je ne crois pas que ce serait pour moi la fin du monde. Je crois que j'aurais le goût de continuer de devenir ce que je suis; dans cette démarche, la fidélité même à ton affection me serait un soutien. A d'autres, cette réflexion pourrait paraître oiseuse. Je ne crois pas que tu la juges ainsi. J'éprouve le besoin de m'assurer que je ne suis pas servilement aliénée à toi. C'est aussi ce que tu désires, n'est-ce pas? Comment en arriverais-je à être pleinement, consciemment ce que je suis, — ce à quoi tu travailles, n'est-ce pas? — si je n'ai d'existence que par toi?

Je suis en train de lire *The Transparent Self* de Sydney M. Jourard. Tu connais? En tout cas, je suis si heureuse de rencontrer en toi, non un thérapeute appliquant ses théories (et tu sais combien vite je le détecterais et l'effet désastreux qui s'ensuivrait), mais ton vrai « self », ce qui me donne le courage d'être moi.

Lettre 31 — 5 juillet

Je suis tout étonnée de la paix toute confiante que j'éprouve lorsque je pense à toi. (Cette expression n'est pas juste pour décrire ce que je vis par rapport à toi.) Avant, je me disais, en argumentant, que tu ne pouvais me tromper, maintenant, je ressens cette confiance toute paisible jusqu'au fond de moi-même.

Lettre 32 — 10 juillet

Lorsque je pense à toi, à ce que je souhaite te communiquer, tout est simple. J'ai hâte d'avoir un moment de solitude pour t'écrire tout ce qui monte en moi. Mais quand vient ce moment, les mots, eux, ne viennent plus. Je crois que je m'inquiète encore trop de ce que tu penseras. Tu m'as dit que j'écrivais bien: je voudrais ne pas déchoir de cette « haute estime » que tu as de mes talents épistolaires. Cette recherche gâte tout. Je te confie ces tergiversations pour arriver à m'en libérer.

Pour être vraie, il me faut te confier aussi la déception que j'éprouve chaque fois que je vais à la poste: je serais si heureuse de recevoir de toi ne serait-ce qu'un bonjour qui me dise que tu existes, que je ne m'adresse pas, dans mes lettres, à un produit de mon imagination. Tu m'aiderais ainsi à lutter contre ma « vieille » qui ne sort de ses retranchements que pour me parler à ce sujet. En substance, voici ses propos: « Tu t'es mis dans la tête qu'il avait de l'affection pour toi. Tu as la preuve de ton erreur. Tu es stupide d'écrire si souvent. » Pourtant, ma « jeune » croit autre chose. Pour le moment, sa foi tient.

Les jours de vacances que je vis sont propices à de nouvelles découvertes, si bien que je m'émerveille avec Gibran: « A traveller I am and a navigator, and every day I discover a new region within my soul. » Devrais-je m'inquiéter d'avoir ainsi le goût de « to share » (le verbe anglais ajoute une nuance d'affection que n'a pas le « partager » français, il me semble) avec toi la beauté que je découvre avec un émerveillement tout joyeux, de désirer ainsi découvrir qui tu es, ce que tu aimes, ce qui t'émeut, te fait vibrer, ce que tu considères comme ayant de la valeur, comment à chaque moment tu vis l'unité de ta personne, de ta vie. Je demande beaucoup, n'est-ce pas? Est-ce que j'attends trop? N'est-ce pas toujours ainsi lorsqu'on aime quelqu'un? « Love which is not always springing is always dying. » Est-ce que je sais seulement de quoi je parle lorsque je parle d'amour? Tout ce que je sais, c'est que maintenant j'ai moins peur à la fois des mots et des réalités que j'intuitionne et que je me sens devant ces réalités plus démunie, moins experte, mais plus ouverte, accueillante, dans la sérénité.

J'expérimente en moi-même une transformation, insignifiante sans doute, mais qui me pacifie. Avant, lorsque je voyais quelque chose de beau, je souhaitais vivement le fixer pour le conserver: photos, souvenirs, descriptions... Les moments agréables que je vivais étaient assombris par la perspective de leur fugacité. Actuellement, je me contente de vivre à plein ces moments, de goûter avec émerveillement ce qui est beau et bon, sans m'y agripper désespérément. Peut-être parce que j'expérimente en moi-même une certaine « densité d'être » et que j'ai moins peur de me trouver démunie? Peut-être parce que sont libérées en moi des capacités d'émerveillement, de confiance, dans les autres, dans la vie, qui me permettent d'espérer toujours découvrir, dans quelque circonstance que ce soit, de quoi être heureuse? Je suis moins inquiète à la fois de devoir demeurer davantage à l'intérieur de ma maison et de ce que la vue de l'entrée et du salon de ma maison devienne moins agréable parce que j'ai découvert beaucoup d'autres pièces, même au sous-sol, où il fait bon demeurer...

Je peux te tenir ces propos parce que je me sens détendue, heureuse, confiante dans la fidélité de la vie, et confiante aussi dans ton amitié. Pourtant, tout n'est pas que paix en moi, tout n'est pas unifié. Je crois que je te le disais dans ma dernière lettre: je tends à faire l'unité entre mon être intérieur et mon agir. Je ne serai vraie qu'à cette condition. Pour cela, il me faut redécouvrir comment incarner mon être dans ce que je vis, sans la contrainte de ma vieille Hélène.

Je veux que les actes que je pose, les paroles que je dis, soient l'expression de mon être réel et non une façade en désaccord souvent avec ce que je suis. Je ne veux plus « être conforme », mais être ce que je suis, jusque dans mes pensées. Je veux tendre à ce que les pièces réservées de ma maison renferment, non de vieilles hardes, de vieux « dadas » dont j'ai honte et que je n'ose montrer qu'à toi, mais des trésors que je désire partager avec ceux que j'aime. Les rêves éveillés, la masturbation, font partie de ces vieilles choses reléguées aux oubliettes. En même temps, je cherche mon identité.

Je ne suis pas dans l'angoisse, j'ai hâte que mon arbre pousse, qu'il lève; je ne sais de quelle essence il sera, mais je ne puis tirer sur la tige en germination. Je ne peux qu'entretenir la terre et espérer.

Lettre 33 — 21 juillet

Je tenais à te faire parvenir ce petit fascicule, afin de te faire comprendre un peu à la fois la reconnaissance que j'éprouve pour tout ce que tu as fait pour moi et la qualité de l'amitié que je voudrais continuer de construire avec toi.

J'ai bien écrit, « continuer de construire » ... parce que, si la thérapie est à peu près terminée, je ne puis accepter que l'amitié le soit. Non, je souhaiterais qu'elle demeure « always springing » ... Mais toi?

Cela m'a fait du bien de constater que ça ne te laissait pas indifférent, cette perspective de la fin de la thérapie. J'ai besoin de temps pour approfondir tout cela. J'ai mal, tu sais. Il y a tempête en moi ... C'est bien que je ne te revoie qu'en septembre; j'aurai eu le temps de mesurer mes forces ... de savoir comment se maintiendra l'atmosphère de ma maison.

Au revoir; je t'aime, malheureusement.

Lettre 34 — 26 juillet

Je me sens « follichonne » ce matin et j'ai le goût de ne pas le masquer avec toi. C'est bon d'être ainsi soi-même avec quelqu'un! Je me sens vivre!

Mais ce n'est pas toujours facile de vivre! ... Une partie de moi-même, je ne saurais te dire s'il s'agit de la surface ou des zones profondes, est sérieusement agitée, perturbée, alors que le reste de mon être demeure calme, serein. Quelle est la cause? Je tente de l'expliciter avec toi.

La perspective de la fin de la thérapie me fait peur: tout n'est pas intégré en moi; je me sens encore bien faible pour voler de mes propres ailes; je t'aime: tu me manqueras. Tu le constates, je ne suis pas encore complètement guérie de cette crainte de n'être pas aimée. Ma vieille Hélène n'est pas complètement morte. Elle me suggérerait de te dire: « Mais toi, tu t'en fiches. Tu m'as reçue pendant 39 heures, maintenant, c'est terminé, je laisse la place à d'autres »... Mais au fond, je sais bien que telle n'est pas ta réaction. Je sais bien... mais j'aimerais le savoir davantage... Je te l'ai déjà exprimé, d'ailleurs.

Permets-moi de ne respecter ni un ordre chronologique, ni un ordre logique de manifestation de ces « mouvements »: en essayant de classifier, je tue ma spontanéité d'expression. La contrainte (il y en avait une, je le constate) du compte-rendu des victoires et des défaites dans le domaine de la vérité tombe: je me vois en train de revenir à mes vieilles habitudes de mensonge pour me défendre, me protéger. Je me suis rendu compte de cela hier. Cette prise de conscience m'amène à réagir: ce n'était pas pour ton bien à toi que je faisais cet effort, mais pour le mien. Tout n'est pas acquis. J'ai à continuer ce travail et je le ferai, même si ton appui n'est pas là comme récompense...

Au fond, c'est la peur qui me perturbe le plus et je crois qu'il est bon que je regarde ce fait en face. Je t'ai dit que j'expérimentais une liberté intérieure de plus en plus grande, que j'entrevoyais la possibilité de vivre plus libre parce que je découvrais des pièces agréables dans ma maison, etc... Mais le « chauffage central » fonctionnait bien: j'avais ton affection. Tu me diras: « Il reste l'amitié. » Mais je te voyais souvent... Il me reste la possibilité d'écrire. Répondras-tu? Je ne saurai même pas si tu reçois mes lettres... D'accord, j'ai encore le goût de me dire à toi, mais actuellement, je souhaite tout autant découvrir qui tu es. Bien sûr, je te connais un peu, mais je souhaiterais poursuivre une relation qui ne soit pas à sens unique. La fin de la thérapie, est-ce par le fait même la fin de la relation interpersonnelle? Je sens ici le besoin de préciser, pour moi autant que pour toi, ce que je veux exprimer lorsque je dis: « je t'aime ». Je ne sens pas un désir impératif de « faire l'amour » avec toi quoique, pour être vraie, je le souhaite parfois... pas lorsque je suis avec toi, mais lorsque tu me manques. Mais je désire recevoir l'expression de ta tendresse et te manifester aussi la mienne. Je suis heureuse de me dire à toi et je me sens comblée lorsque tu te dis à moi. Je souhaite partager avec toi ce que j'aime, ce que je trouve beau, ce que je découvre de neuf et je suis heureuse lorsque je découvre que nous pouvons parfois vibrer à l'unisson. Tout ce que tu es m'est cher mais je ne souhaite pas devenir toi; je veux être moi et que tu restes toi, mais qu'il y ait communication entre les deux ... et pas seulement à sens unique. Je suis heureuse d'être aidée par toi à être davantage. et ... je doute que je puisse t'aider toi à être davantage, mais cela me comblerait. Je me sens émerveillée et profondément reconnaissante envers toi, de ce qu'il m'a déjà été donné de vivre comme relation avec toi et je souhaiterais continuer cette relation que j'ai l'impression de commencer seulement.

Est-ce que j'attends trop de toi? Est-ce que ce que je souhaite est du domaine de l'amitié, ce qui m'apparaît acceptable, ou de l'amour qui existe entre un homme et une femme mariés? Est-ce que je saurai vivre sans l'amour d'un homme? Est-ce que je me suis illusionnée sur l'évolution que j'ai pu faire au cours de la thérapie et que j'ai exprimé ce que je souhaitais qui se produise en moi ou ce qui s'est produit vraiment? Toutes ces questions dansaient devant moi comme des épouvantails, après l'entrevue de jeudi et je fermais les yeux parce que j'avais la frousse.

Je sais que la relation établie avec toi m'a été bienfaisante. Mais actuellement, est-ce le temps de larguer les amarres? ... Je ne crois pas que je ferais naufrage ... pas tout de suite en tout cas. Mais est-ce une mutilation inutile, nuisible même, pour l'être que je dois devenir de plus en plus pleinement? Si j'écoutais ce que la vieille Hélène me chuchote, je couperais tout, et tout de suite: « C'est fini bonjour », et je tendrais le dos pour ne pas trop laisser paraître que je suis déchirée. Et je me sentirais en sécurité d'obéir aux bons vieux principes. Je me sentirais conforme ... Mais je veux vivre à plein avec mon cœur de femme. Mais je veux être vraie aussi, jusqu'au fond de mon être, être une dans ce que je parais, mais aussi dans ce que je pense. Je ne veux rien récuser de ce que j'ai découvert en moi, même de ce qui me fait peur: v.g. je suis sensuelle. Bon Dieu! je suis humaine! j'ai un corps! je ne veux plus faire l'ange!

Lorsque je t'ai dit que je pensais la thérapie terminée et que tu as approuvé, pensais-tu que mes problèmes étaient réglés? Je me masturbe encore de temps à autre et c'est avec ce problème de départ que je suis allée te voir. Pour être honnête avec toi, je dois te dire que j'ai été tentée de te brandir ces problèmes et de te crier: « Ne me laisse pas tomber, tu vois bien que j'ai encore besoin de toi » ... un peu comme l'enfant qui ne voudrait pas marcher alors que ses muscles et son système nerveux sont aptes à fournir cet effort, pour être plus longtemps porté par une personne qu'il aime. J'étais, pour ma part, consciente, peut-être moins qu'en ce moment toutefois, que tout n'était pas réglé; mais je sens quand même en moi une libération et surtout, la capacité de continuer de me construire sans ton soutien aussi assidu. Tu m'as aidée à déblayer, à trouver en moi les ressources nécessaires pour affronter le « struggle for life ». Je souhaiterais te revoir de temps à autre au cours de l'année pour faire le point et ... si cela est possible, et, je ne dis pas permis, mais pour notre « meilleur », notre « plus être » à toi et à moi, vivre une amitié « always springing ».

Je prends conscience, tout particulièrement maintenant, que je suis un être en devenir. Je ne suis pas exactement aujourd'hui ce que j'étais hier. Je deviens de plus en plus consciente, plus vivante, mais plus capable d'aimer aussi, donc, sans doute plus capable de souffrir, mais aussi plus apte à être heureuse. En t'écrivant, je constate que la paix se rétablit peu à peu en moi. Je ne vois peut-être pas tellement plus clair mais ... je suis.

Voilà. Encore une fois, tu as été pleinement accueilli dans ma maison. J'ai peut-être employé des expressions un peu crues pour braver ma peur et ne te fermer aucune porte. Je voudrais que tu demeures dans ma maison ...

Conclusion

Les pages qui précèdent ont tenté de présenter au lecteur une vue générale du processus d'aide dans les relations interpersonnelles. En nous basant sur la constatation qu'une relation peut être destructive comme elle peut être constructive, nous avons procédé à l'analyse des éléments qui permettent à la relation entre des êtres humains de conduire les partenaires à un plus grand épanouissement de leurs potentialités, à une plus grande liberté.

Comme on peut le constater, la relation d'aide a été présentée ici dans son sens le plus large, comme toute rencontre entre deux êtres qui débouche sur un accroissement de leur capacité de vivre de façon efficace, quel que soit le contexte dans lequel cette relation se déroule. Ainsi donc, de ce point de vue, la relation d'aide ne saurait être une **fonction**, une **tâche**, un **travail** ou une **profession**, mais bien plutôt une **manière de vivre**. Seul peut aider celui qu'on a déjà lui-même aidé. Seul peut amener un autre à se comprendre lui-même profondément, celui qui est engagé dans un processus permanent d'auto-compréhension. Seul peut respecter et aimer celui qui, se connaissant intérieurement, s'accepte et s'aime lui-même. Seul peut conduire une autre personne à la conquête de sa vérité celui qui, en lui-même, vit dans la transparence et l'authenticité. Seul peut légitimement et intuitivement provoquer chez l'autre, par la confrontation, les crises qui lui permettent d'accéder à la pleine possession de lui-même, celui qui ne cesse de se confronter et qui a appris que la crise mène à la vie et non à la mort. Seul, enfin, peut se permettre de nouer avec l'autre une relation intime dont ils seront tous deux pleinement conscients, celui qui a déjà noué avec lui-même une relation qui ne cède ni à la lassitude, ni au mensonge, ni à la peur.

Le monde dans lequel nous vivons est souvent un monde où règnent confusion, haine, mensonge. Les relations interpersonnelles y sont fréquemment empoisonnées par l'incompréhension, la méfiance et la peur. Depuis des siècles, la race humaine, tout en développant sa maîtrise de l'univers physique, continue à bâtir un monde où l'homme est un loup pour l'homme, où la violence et la guerre tissent le malheur et la mort. Pourtant, au milieu de cet immense tourbillon où s'engouffre la vie, survivent et grandissent des êtres pour lesquels l'amour est plus fort que la mort, pour lesquels la vérité triomphe du mensonge, pour lesquels l'homme n'est pas une énigme ridicule mais un mystère débouchant sur l'infini. Qu'on leur donne le nom qu'on voudra; ce sont eux qui portent dans leurs mains fragiles l'espoir de l'homme de vivre libre.

Appendice

Nous présentons ici un certain nombre d'adresses d'organismes et institutions vers lesquelles un aidant peut être appelé à orienter l'un ou l'autre de ses aidés. Cette liste est très incomplète. Cependant, au moins pour les aidants demeurant dans la région de Montréal, le **Centre de Référence du Grand Montréal** est en mesure de fournir des renseignements sur tous les organismes qui, à quelque titre, s'occupent de bien-être, santé ou loisirs dans la région métropolitaine.

De tels centres de référence et d'information existent également en d'autres régions du Québec. On en trouvera ici la liste complète.

Ajoutons que le **Centre de référence du Grand Montréal** publie périodiquement un **Répertoire** qui constitue un précieux instrument de travail pour un aidant.

Information-Canada (fédéral)
Centre d'information
1255, rue Université, suite 416
Montréal 110

Communication-Québec (provincial)
Service de Renseignements
310 ouest, rue Sainte-Catherine
Montréal 129

Ministère des affaires sociales (provincial)
6161, rue Saint-Denis
Montréal 326

Centre de référence du Grand Montréal
759, Square Victoria, suite 54
Montréal 126

Service d'information et de référence
Service social du diocèse de Chicoutimi
164 est, rue Collard
Alma, Qué.

Service d'information et de référence
Service social du diocèse de Chicoutimi
599, rue de l'Hôtel-Dieu
Chicoutimi, Qué.

Centre de référence et d'information
165-A, rue Gilbert
Chicoutimi, Qué.

Centre de références et d'information
179, rue Principale
Granby, Qué.

Centre de référence et d'information
105, boul. Sacré-Cœur
Hull, Qué.

Service d'information et de référence
735, rue Saint-Hubert
Jonquière, Qué.

Service de renseignements
1552, rue Saint-Edouard, C.P. 7
Plessisville, Qué.

Service de référence et de renseignements
625 est, Grande-Allée
Québec 4

Centre de référence et d'information de Québec
414, boul. Langelier
Québec 2

Service d'information et de référence
50, rue Saint-Pierre
Roberval, Qué.

Service d'information
139 est, rue Perreault, C.P. 905
Rouyn, Qué.

Centre de référence de Saint-Jérôme
247, rue Parent
Saint-Jérôme
Cté Terrebonne, Qué.

Centre de référence et d'information de Sherbrooke
1144 ouest, rue King
Sherbrooke, Qué.

Centre de référence et d'information
1284, rue Royale, C.P. 759
Trois-Rivières, Qué.

Centre d'accueil et d'information
61, boul. Miljours
Val-d'Or, Cté Abitibi, Qué.

Parents non-mariés
Service Social Ville-Marie
2285, av. Papineau
Montréal 133

Adoption
Société d'adoption et de protection de l'enfance
874 est, rue Sherbrooke
Montréal 132

Aide légale
Bureau d'assistance judiciaire du Barreau de Montréal
750, Côte de la Place d'Armes, suite 100
Montréal 126

Service de référence du Barreau de Montréal
84 ouest, rue Notre-Dame
Montréal 126

Enfants exceptionnels
Conseil du Québec de l'enfance exceptionnelle
2765, Côte Sainte-Catherine
Montréal 250

Association du Québec pour les déficients mentaux
5890, rue Monkland, bureau 306
Montréal 261

Santé
Alcooliques anonymes
4216, rue Saint-Hubert
Montréal 176

Office de la prévention et du traitement de l'alcoolisme
et des autres toxicomanies
3215, chemin de la Côte Sainte-Catherine
Montréal 250

Santé mentale
Association canadienne pour la santé mentale
5757, rue Decelles, local 303
Montréal 251

Corporation des conseillers d'orientation
professionnelle du Québec
1214 est, boul. Saint-Joseph
Montréal 176

Corporation des psychologues de la province de Québec
1554, rue Dudemaine, app. 1
Montréal 356

Corporation des travailleurs sociaux professionnels
de la province de Québec
5757, rue Decelles, suite 114
Montréal 251

Où trouvez une aide psychologique
EN BELGIQUE?

Des psychologues, psychothérapeutes et médecins sont attachés, dans toute la Belgique aux divers **CENTRES PSYCHO-MEDICO-SO-CIAUX** (Centres P.M.S.) de l'Etat, ou des Provinces, ou des Communes, les organisations ayant à chaque niveau: national, provincial et communal leur autonomie, leurs réseaux et leurs adresses particulières. Pour connaître le Centre P.M.S. le plus proche de son domicile, le plus simple est de s'adresser à l'assistante sociale du Bureau des Affaires Sociales de la Commune dont on dépend.

Des **CENTRES D'ORIENTATION SCOLAIRE ET PROFESSION-NELLE** (Centres O.S.P.) officiels ou privés sont également organisés soit par l'Etat, soit par les Provinces, soit par les grandes agglomérations. Ils groupent également des psychologues orienteurs.

LA LIGUE NATIONALE BELGE D'HYGIÈNE MENTALE dispose d'un réseau de dispensaires dans toute la Belgique. Pour connaître une adresse en province, s'adresser au Secrétariat National: 13, rue Forestière — 1050—Bruxelles — Tél. 02/48.39.34.

> LA LIGUE NATIONALE BELGE D'HYGIÈNE MENTALE a également sous sa juridiction:
> — Le CENTRE DE SANTÉ (pour adultes), 106, avenue Winston Churchill, 1180 — Bruxelles — Tél. 02/44.35.65 et 43.32.17.
> — Le CENTRE DE GUIDANCE POUR ENFANTS, 35, rue Edith Cavell, 1180 — Bruxelles — Tél 02/43.96.20.
> — Le CENTRE DE PRÉVENTION DU SUICIDE, 106, avenue Winston Churchill, 1180 — Bruxelles — Tél. 02/43.03.03.

ASSOCIATION CATHOLIQUE D'HYGIÈNE MENTALE, 12, rue Forestière — 1050-Bruxelles — Tél. 02/49.62.06.

ASSOCIATION NATIONALE D'AIDE AUX ENFANTS RETAR-DÉS, 12, rue Forestière — 1050-Bruxelles — Tél. 02/49.56.24.

CENTRE DE SANTÉ PUBLIQUE — 100, rue Belliard — 1040-Bruxelles — Tél. 02/36.00.63.

FÉDÉRATION NATIONALE DES BUREAUX DE CONSULTATION POUR ALCOOLIQUES ET AUTRES TOXICOMANES — 94, chaussée de Vleurgat, 1050-Bruxelles — Tél. 02/47.76.19. On peut y trouver les adresses de province.

CENTRE MÉDICO-SOCIAL POUR TOXICOMANES — (Centre Anti-poisons), 15, rue 3. Stallaert — 1050-Bruxelles — Tél. 02/45.45.45.

A.A. — ALCOOLIQUES ANONYMES — 24, rue du Boulet — 1000-Bruxelles — Tél. 02/11.15.11.

TÉLÉ-SERVICE (Entr'aide au bout du fil) — 24, rue du Boulet — 1000-Bruxelles — Tél 02/11.91.55 — Des permanences de Télé-Service existent dans les principales villes de Belgique. Le Centre de Bruxelles donne les numéros de tél.

S.O.S. DOCTEURS — 2, rue Vonck — 1030-Bruxelles — Tél. 02/18.18.18.

INFOR-JEUNES — 3, Place Quetelet — 1030-Bruxelles — Tél. 01/17.40.20 et 18.28.28 est gratuitement à la disposition de tous les jeunes pour tous les problèmes qui se posent à eux, dans tous les domaines.

> INFOR-JEUNES a en outre pu créer récemment:
> INFOR-DROGUE — 3, Place Quetelet — 1030-Bruxelles — Tél. 02/36.36.36 (permanence de jour et de nuit).
> Une FREE-CLINIC — 3, Place Quetelet — 1030-Bruxelles — Tél 02/17.40.20.

CENTRE D'ÉDUCATION PERMANENTE (E.P.E. — Ecole des Parents et des Éducateurs) 3, rue des Francs — 1040-Bruxelles — Tél. 02/33.95.50 — l'E.P.E. a des sections régionales en province.

ASSEIP — Asociation pour l'étude et l'intervention psychologiques 25, Galerie du Roi — 1000-Bruxelles — Tél 02/13.52.93.

CENTRE D'ÉDUCATION À LA FAMILLE ET À L'AMOUR (C.E.F.A.), 58, rue de la Prévoyance — 1000-Bruxelles — Tél. 02/13.17.49.

CENTRE D'ÉDUCATION À LA FAMILLE — 33, rue de la Concorde — 1050-Bruxelles — Tél. 02/11.89.90.

Des CENTRES D'AIDE PSYCHOLOGIQUE AUX ÉTUDIANTS existent dans chaque Université.

— UNIVERSITÉ LIBRE DE BRUXELLES:
- Service d'aide psychologique aux étudiants (SAPE), 127, avenue Adolphe Buyl — 1050-Bruxelles — Tél. 02/49.00.30 — ext. 2026.
- Centre d'Information sur les débouchés universitaires (CIDU) 127, avenue Adolphe Buyl, 1050-Bruxelles — Tél. 02/49.00. 30 — ext. 2027.
- Service médical — 28, avenue Paul Héger — 1050-Bruxelles — Tél. 02/49.00.30 — ext. 2115.
- Service social — 131, avenue Adolphe Buyl — 1050-Bruxelles — Tél. 02/49.00.30 — ext. 2014.

— UNIVERSITÉ DE LIÈGE:
- Service social, 7, Place du XX août — 4000-Liège — Tél. 04/42.00.80 — ext. 305 et 306.

— UNIVERSITÉ DE LOUVAIN:
- Centre consultatif pour les études, 1, rue Jean Stas — 3000-Leuven.
- Centre de guidance pour enfants et adultes, 4, av. Chapelle aux Champs — 1200-Bruxelles — Tél. 02/71.00.20.

— UNIVERSITÉ DE MONS:
- Service des informations — Place Warocqué — 7000-Mons — Tél. 065/391.11.

Les CAISSES D'ALLOCATIONS FAMILIALES et les MUTUELLES peuvent donner des informations ou apporter une aide par l'intermédiaire de leurs assistantes sociales.

Où trouver une aide psychologique
EN FRANCE?

— Dans les CONSULTATIONS des HÔPITAUX et notamment des hôpitaux psychiatriques.

— S'adresser à l'assistante sociale de la mairie ou de la Caisse d'Allocations familiales ou à celle de la Mutualité agricole, etc.

— CENTRES D'ORIENTATION SCOLAIRE ET PROFESSIONNELLE de la région dont on dépend. Les Préfectures peuvent donner des adresses.

— Consultations Médico-Psychopédagogiques (C.M.P.P.) organismes privés ou reconnus par la Sécurité Sociale. On les appelle parfois Centres de Guidance infantile dans certaines régions. Adresses à la mairie ou à la Préfecture.

— Dispensaires d'hygiène mentale.

— ÉCOLE DES PARENTS, 4, rue Brunel — Paris 17ème — Tél. 754.29.00 qui peut également donner les adresses de ses nombreuses sections régionales.

— CENTRE PSYCHOPÉDAGOGIQUE CLAUDE BERNARD — 4, rue Danton — Paris 6ème.

— INSTITUT LA ROCHEFOUCAULD, 23, rue La Rochefoucauld, Paris 9ème, s'occupe des travailleurs en difficultés. De tels bureraux existent également en province: psychologues et médecins sont attachés à ces services.

— Les BUREAUX D'AIDE PSYCHOLOGIQUE UNIVERSITAIRE (B.A.P.U.) de chaque Université font partie de la Mutuelle des Étudiants de France. Se renseigner auprès de chaque Faculté.

Indications bibliographiques

En plus des ouvrages cités au cours des pages qui précèdent, nous indiquons ici un certain nombre d'ouvrages qui traitent de sujets apparentés.

Berenson, B.G. and Carkhuff, R.R. **Sources of Gain in Counseling and Psychotherapy.** New York: Holt, Rinehart and Winston, 1967.

Blum, M. et Naylor, J.C. **Industrial Psychology: its Theoretical and Social Foundations.** New York: Harper, 1968.

Brammer, L.M. and Shostrom, E.L. **Therapeutic Psychology: Fundamentals of Actualization Counseling and Psychotherapy.** Englewood Cliffs, N.J.: Prentice-Hall Inc., 1968.

Carkhuff, R.R. and Berenson, B.G. **Beyond Counseling and Therapy.** New York: Holt, Rinehart and Winston, 1967.

Carkhuff, R.R. **Helping and Human Relations,** Vol. I et II. New York: Holt, Rinehart and Winston, 1969.

Carkhuff, R.R. **The Development of Human Resources,** New York: Holt, Rinehart and Winston, 1971.

Davis, K. **Human Relations at Work: the Dynamics of Organizational Behavior.** 3rd edition. New York: McGraw-Hill, 1967.

Eysenck, H.J. The Effects of Psychotherapy. **International Journal of Psychiatry, I,** 1965, 99-178.

Gibran, K. **Le Prophète.** Paris: Casterman, 1956.

Godin, A. **La relation humaine dans le dialogue pastoral.** Paris: Desclée de Brouwer, 1963.

Harlow, H.F. The nature of love. **American Psychologist,** 1958, **13,** 673-685.

Hostie, R. **L'entretien pastoral.** Paris: Desclée de Brouwer, 1963.

Kerlinger, F.N. **Foundations of Behavioral Research.** New York: Holt, Rinehart and Winston, 1964.

Kinget, Marian, et Rogers, C.R. **Psychothérapie et relations humaines.** Louvain: Presses universitaires de Louvain, 1962.

Levitt, E.E. Psychotherapy with children: a further evaluation. **Behavior Research and Therapy, 1,** 1963, 45-51.

Maslow, A.H. **Toward a Psychology of Being.** Princeton, N.J.: Van Nostrand, 1962.

Mucchielli, R. **L'entretien de face à face dans la relation d'aide.** Paris: Editions Sociales Françaises, 1966.

Oraison, M. **Etre avec... la relation à autrui.** Paris: Centurion, 1967.

Pagès, M. **L'orientation non directive en psychothérapie et en psychologie sociale.** Paris: Dunod, 1965.

Peretti, A. de. **Liberté et relations humaines, ou l'inspiration non directive.** Paris: Epi, 1966.

Perlman, Helen H. **L'aide psychosociale interpersonnelle.** Présentation française de Marie-Anne Rupp. Paris: Centurion, 1972.

Rogers, C.R. The Necessary and Sufficient conditions of therapeutic Personality change. **Journal of Consulting Psychology, 21,** 1957, 95-103.

Rogers, C.R. **Le développement de la personne.** Paris: Dunod, 1966.

Rogers, C.R. Conditions nécessaires et suffisantes, d'un changement de personnalité en psychothérapie. **Hommes et Techniques,** 1959, 133 sq.

Saint-Arnaud, Y. **La consultation Pastorale d'orientation rogérienne.** Paris: Desclée de Brouwer, 1969.

Saint-Arnaud, Y. **J'aime: essai sur l'expérience d'aimer.** Montréal: 1970.

Saint-Arnaud, Y. **La personne humaine.** Introduction à l'étude de la personne et des relations interpersonnelles. Montréal: Editions de l'Homme — Editions du Cim, 1974.

Sarano, J. **Connaissance de soi, connaissance d'autrui.** Paris: Centurion, 1967.

Smith, H.C. **La connaissance concrète d'autrui.** Neuchâtel: Delachaux et Niestlé, 1969.

Spitz, R.A. The role of Ecological factors in emotional development in infancy. **Child Development,** 1949, **20,** 145-156.

Truax, C.B., and Carkhuff, R.R. **Toward Effective Counseling and Psychotherapy: Training and Practice.** Chicago: Aldine, 1967.

Ouvrages parus aux ÉDITIONS DE L'HOMME

sans * pour l'Amérique du Nord seulement
* pour l'Europe et l'Amérique du Nord
** pour l'Europe seulement

ALIMENTATION — SANTÉ

Allergies, Les, Dr Pierre Delorme
* **Cellulite, La,** Dr Jean-Paul Ostiguy
Conseils de mon médecin de famille, Les, Dr Maurice Lauzon
Contrôler votre poids, Dr Jean-Paul Ostiguy
Diététique dans la vie quotidienne, La, Louise Lambert-Lagacé
Face-lifting par l'exercice, Le, Senta Maria Rungé
* **Guérir ses maux de dos,** Dr Hamilton Hall

* **Maigrir en santé,** Denyse Hunter
* **Maigrir, un nouveau régime de vie,** Edwin Bayrd
Massage, Le, Byron Scott
Médecine esthétique, La, Dr Guylaine Lanctôt
* **Régime pour maigrir,** Marie-Josée Beaudoin
* **Sport-santé et nutrition,** Dr Jean-Paul Ostiguy
* **Vivre jeune,** Myra Waldo

ART CULINAIRE

Agneau, L', Jehane Benoit
Art d'apprêter les restes, L', Suzanne Lapointe
* **Art de la cuisine chinoise, L',** Stella Chan
Art de la table, L', Marguerite du Coffre
Boîte à lunch, La, Louise Lambert-Lagacé
Bonne table, La, Juliette Huot
Brasserie la Mère Clavet vous présente ses recettes, La, Léo Godon
Canapés et amuse-gueule
101 omelettes, Claude Marycette
Cocktails de Jacques Normand, Les, Jacques Normand
Confitures, Les, Misette Godard
* **Congélation des aliments, La,** Suzanne Lapointe
* **Conserves, Les,** Soeur Berthe
* **Cuisine au wok, La,** Charmaine Solomon
Cuisine chinoise, La, Lizette Gervais
Cuisine de Maman Lapointe, La, Suzanne Lapointe
Cuisine de Pol Martin, La, Pol Martin
Cuisine des 4 saisons, La, Hélène Durand-LaRoche

* **Cuisine du monde entier, La,** Jehane Benoit
Cuisine en fête, La, Juliette Lassonde
Cuisine facile aux micro-ondes, Pauline Saint-Amour
* **Cuisine micro-ondes, La,** Jehane Benoit
Desserts diététiques, Claude Poliquin
Du potager à la table, Paul Pouliot, Pol Martin
En cuisinant de 5 à 6, Juliette Huot
* **Faire son pain soi-même,** Janice Murray Gill
* **Fèves, haricots et autres légumineuses,** Tess Mallos
Fondue et barbecue
* **Fondues et flambées de Maman Lapointe,** S. et L. Lapointe
Fruits, Les, John Goode
Gastronomie au Québec, La, Abel Benquet
Grande cuisine au Pernod, La, Suzanne Lapointe
Grillades, Les
* **Guide complet du barman, Le,** Jacques Normand
Hors-d'oeuvre, salades et buffets froids, Louis Dubois

DOCUMENTS — BIOGRAPHIES

Provencher, le dernier des coureurs de bois, Paul Provencher
Réal Caouette, Marcel Huguet
Révolte contre le monde moderne, Julius Evola
Struma, Le, Michel Solomon
Temps des fêtes au Québec, Le, Raymond Montpetit
Terrorisme québécois, Le, Dr Gustave Morf

* Treizième chandelle, La, T. Lobsang Rampa
Troisième voie, La, Me Emile Colas
Trois vies de Pearson, Les, J.-M. Poliquin, J.R. Beal
Trudeau, le paradoxe, Anthony Westell
Vizzini, Sal Vizzini
Vrai visage de Duplessis, Le, Pierre Laporte

ENCYCLOPÉDIES

Encyclopédie de la chasse au Québec, Bernard Leiffet
Encyclopédie de la maison québécoise, M. Lessard, H. Marquis
* Encyclopédie de la santé de l'enfant, L', Richard I. Feinbloom
Encyclopédie des antiquités du Québec, M. Lessard, H. Marquis

Encyclopédie des oiseaux du Québec, W. Earl Godfrey
Encyclopédie du jardinier horticulteur, W.H. Perron
Encyclopédie du Québec, vol. I, Louis Landry
Encyclopédie du Québec, vol. II, Louis Landry

ENFANCE ET MATERNITÉ

* Aider son enfant en maternelle et en 1ère année, Louise Pedneault-Pontbriand
* Aider votre enfant à lire et à écrire, Louise Doyon-Richard
Avoir un enfant après 35 ans, Isabelle Robert
* Comment avoir des enfants heureux, Jacob Azerrad
Comment amuser nos enfants, Louis Stanké
* Comment nourrir son enfant, Louise Lambert-Lagacé
* Découvrez votre enfant par ses jeux, Didier Calvet
Des enfants découvrent l'agriculture, Didier Calvet
* Développement psychomoteur du bébé, Le, Didier Calvet
* Douze premiers mois de mon enfant, Les, Frank Caplan
Droits des futurs parents, Les, Valmai Howe Elkins
* En attendant notre enfant, Yvette Pratte-Marchessault
Enfant unique, L', Ellen Peck
* Éveillez votre enfant par des contes, Didier Calvet

* Exercices et jeux pour enfants, Trude Sekely
Femme enceinte, La, Dr Robert A. Bradley
Futur père, Yvette Pratte-Marchessault
* Jouons avec les lettres, Louise Doyon-Richard
* Langage de votre enfant, Le, Claude Langevin
Maman et son nouveau-né, La, Trude Sekely
Merveilleuse histoire de la naissance, Dr Lionel Gendron
Pour bébé, le sein ou le biberon, Yvette Pratte-Marchessault
Pour vous future maman, Trude Sekely
* Préparez votre enfant à l'école, Louise Doyon-Richard
* Psychologie de l'enfant, La, Françoise Cholette-Pérusse
* Tout se joue avant la maternelle, Isuba Mansuka
* Trois premières années de mon enfant, Les, Dr Burton L. White
* Une naissance apprivoisée, Edith Fournier, Michel Moreau

LANGUE

Améliorez votre français, Jacques Laurin

* Anglais par la méthode choc, L', Jean-Louis Morgan

3

Corrigeons nos anglicismes, Jacques Laurin
* J'apprends l'anglais, G. Silicani et J. Grisé-Allard
Notre français et ses pièges, Jacques Laurin

Petit dictionnaire du joual au français, Augustin Turennes
Verbes, Les, Jacques Laurin

LITTÉRATURE

Adieu Québec, André Bruneau
Allocutaire, L', Gilbert Langlois
Arrivants, Les, collaboration
Berger, Les, Marcel Cabay-Marin
Bigaouette, Raymond Lévesque
Carnivores, Les, François Moreau
Carré St-Louis, Jean-Jules Richard
Centre-ville, Jean-Jules Richard
Chez les termites, Madeleine Ouellette-Michalska
Commettants de Caridad, Les, Yves Thériault
Danka, Marcel Godin
Débarque, La, Raymond Plante
Domaine Cassaubon, Le, Gilbert Langlois
Doux mal, Le, Andrée Maillet
D'un mur à l'autre, Paul-André Bibeau
Emprise, L', Gaétan Brulotte
Engrenage, L', Claudine Numainville
En hommage aux araignées, Esther Rochon
Faites de beaux rêves, Jacques Poulin
Fuite immobile, La, Gilles Archambault

J'parle tout seul quand Jean Narrache, Émile Coderre
Jeu des saisons, Le, Madeleine Ouellette-Michalska
Marche des grands cocus, La, Roger Fournier
Monde aime mieux..., Le, Clémence Desrochers
Mourir en automne, Claude DeCotret
N'Tsuk, Yves Thériault
Neuf jours de haine, Jean-Jules Richard
New medea, Monique Bosco
Outaragasipi, L', Claude Jasmin
Petite fleur du Vietnam, La, Clément Gaumont
Pièges, Jean-Jules Richard
Porte silence, Paul-André Bibeau
Requiem pour un père, François Moreau
Si tu savais..., Georges Dor
Tête blanche, Marie-Claire Blais
Trou, Le, Sylvain Chapdeleine
Visages de l'enfance, Les, Dominique Blondeau

LIVRES PRATIQUES — LOISIRS

Améliorons notre bridge, Charles A. Durand
* Art du dressage de défense et d'attaque, L', Gilles Chartier
* Art du pliage du papier, L', Robert Harbin
* Baladi, Le, Micheline d'Astous
* Ballet-jazz, Le, Allen Dow et Mike Michaelson
* Belles danses, Les, Allen Dow et Mike Michaelson
Bien nourrir son chat, Christian d'Orangeville
Bien nourrir son chien, Christian d'Orangeville
Bonnes idées de maman Lapointe, Les, Lucette Lapointe
* Bridge, Le, Vivianne Beaulieu
Budget, Le, en collaboration
Choix de carrières, T. I, Guy Milot
Choix de carrières, T. II, Guy Milot

Choix de carrières, T. III, Guy Milot
Collectionner les timbres, Yves Taschereau
Comment acheter et vendre sa maison, Lucile Brisebois
Comment rédiger son curriculum vitae, Julie Brazeau
Comment tirer le maximum d'une mini-calculatrice, Henry Mullish
Conseils aux inventeurs, Raymond-A. Robic
Construire sa maison en bois rustique, D. Mann et R. Skinulis
Crochet jacquard, Le, Brigitte Thérien
Cuir, Le, L. St-Hilaire, W. Vogt
* Découvrir son ordinateur personnel, François Faguy
Dentelle, La, Andrée-Anne de Sève
Dentelle II, La, Andrée-Anne de Sève
Dictionnaire des affaires, Le, Wilfrid Lebel

4

PHOTOGRAPHIE

5

PLANTES ET JARDINAGE

PSYCHOLOGIE

* **Se connaître soi-même,** Gérard Artaud
* **Se contrôler par le biofeedback,** Paul-tre Ligondé
* **Se créer par la gestalt,** Joseph Zinker
  Se guérir de la sottise, Lucien Auger
  S'entraider, Jacques Limoges
  Séparation du couple, La, Dr Robert S. Weiss
* **Trouver la paix en soi et avec les autres,** Dr Theodor Rubin

* **Vaincre ses peurs,** Lucien Auger
* **Vivre avec sa tête ou avec son coeur,** Lucien Auger
  Volonté, l'attention, la mémoire, La, Robert Tocquet
  Votre personnalité, caractère..., Yves Benoit Morin
* **Vouloir c'est pouvoir,** Raymond Hull
  Yoga, corps et pensée, Bruno Leclercq
  Yoga des sphères, Le, Bruno Leclercq

SEXOLOGIE

* **Avortement et contraception,** Dr Henry Morgentaler
* **Bien vivre sa ménopause,** Dr Lionel Gendron
* **Comment séduire les femmes,** E. Weber, M. Cochran
* **Comment séduire les hommes,** Nicole Ariana
  Fais voir! W. McBride et Dr H.F.-Hardt
* **Femme enceinte et la sexualité, La,** Elizabeth Bing, Libby Colman
  Femme et le sexe, La, Dr Lionel Gendron
* **Guide gynécologique de la femme moderne, Le,** Dr Sheldon H. Sherry
  Helga, Eric F. Bender

Homme et l'art érotique, L', Dr Lionel Gendron
Maladies transmises sexuellement, Les, Dr Lionel Gendron
Qu'est-ce qu'un homme? Dr Lionel Gendron
Quel est votre quotient psycho-sexuel? Dr Lionel Gendron
* **Sexe au féminin, Le,** Carmen Kerr
  Sexualité, La, Dr Lionel Gendron
* **Sexualité du jeune adolescent, La,** Dr Lionel Gendron
  Sexualité dynamique, La, Dr Paul Lefort
* **Ta première expérience sexuelle,** Dr Lionel Gendron et A.-M. Ratelle
* **Yoga sexe,** S. Piuze et Dr L. Gendron

SPORTS

ABC du hockey, L', Howie Meeker
* **Aïkido — au-delà de l'agressivité,** M. N.D. Villadorata et P. Grisard
  Apprenez à patiner, Gaston Marcotte
* **Armes de chasse, Les,** Charles Petit-Martinon
* **Badminton, Le,** Jean Corbeil
  Ballon sur glace, Le, Jean Corbeil
  Bicyclette, La, Jean Corbeil
* **Canoé-kayak, Le,** Wolf Ruck
* **Carte et boussole,** Björn Kjellström
  100 trucs de billard, Pierre Morin
  Chasse et gibier du Québec, Greg Guardo, Raymond Bergeron
  Chasseurs sachez chasser, Lucien B. Lapierre
* **Comment se sortir du trou au golf,** L. Brien et J. Barrette
* **Comment vivre dans la nature,** Bill Riviere
* **Conditionnement physique, Le,** Chevalier-Laferrière-Bergeron
* **Corrigez vos défauts au golf,** Yves Bergeron

Corrigez vos défauts au jogging, Yves Bergeron
Danse aérobique, La, Barbie Allen
* **En forme après 50 ans,** Trude Sekely
* **En superforme par la méthode de la NASA,** Dr Pierre Gravel
  Entraînement par les poids et haltères, Frank Ryan
  Équitation en plein air, L', Jean-Louis Chaumel
  Exercices pour rester jeune, Trude Sekely
* **Exercices pour toi et moi,** Joanne Dussault-Corbeil
  Femme et le karaté samouraï, La, Roger Lesourd
  Guide du judo (technique debout), Le, Louis Arpin
* **Guide du self-defense, Le,** Louis Arpin
* **Guide de survie de l'armée américaine, Le**
  Guide du trappeur, Paul Provencher
  Initiation à la plongée sous-marine, René Goblot

Imprimé au Canada/Printed in Canada

2